講談社文庫

哲学人生問答

岸見一郎

講談社

本書は、洛南高等学校にて、
2018年11月17日、12月19日に行われた
特別授業を元に再構成しました。

●

洛南高等学校
京都市南区壬生通八条下る東寺町559番地

平安時代、弘法大師が庶民の教育の場として
開校した日本初の私立学校「綜藝種智院」を
ルーツとする、歴史と伝統ある名門校。
1962年に洛南高等学校と校名改称し、
その後、附属中学校、附属小学校開校。
2006年から男女共学制を導入。
2021年4月現在、高校生徒総数1314人。
「心・学・身」を教育の三つの柱とし、
スポーツ分野でも高い実績をあげている。

岸見一郎先生の「課外授業」
「自立について」

目次

第1部 「よく生きる」ということ

第2部 自立するための三つの条件

はじめに

こんにちは。岸見一郎です。

昔、昔といってもいいくらい前に、私もこの洛南(らくなん)高校で勉強しました。卒業してから、実はほとんど学校を訪ねたことがありません。たぶん、片手で数えられるくらいです。

なぜそんなことになったかというと、今も時々、明日登校しなければならないという夢を見るからです。卒業したのだからもはや制服を着る必要はないのに、なぜか夢の中で制服を探しているのです。当時の制服は、今の皆さんのとは違って詰襟の学生服で、帽子も被らないといけませんでした。その上、髪の毛も短くしないといけませんでした。結局、制服が見つからないので学校に行けないと思うところで、いつも目が覚めます。

高校時代の憂鬱な気分を思い出させるこんな夢を見ると、学校に行こうという気持ちが失せてしまいます。本当は逆で、学校に行かないという気持ちになるために、このような夢を見るのですが。気分や感情をある目的のために作り出すという見方については、このあとの授業で詳しく話します。

なぜ卒業してから、こんな夢を見てまで学校に行こうとしなかったかといえば、在学中の自分を思い出すとひどく恥ずかしかったからなのです。

ある日、同級生の一人が、一体なぜこんなに生活指導が厳しいのか、先生にたずねました。先生の答えはこうでした。

「君たちはインドのお坊さんと同じだ。修行をしなければならない身だ。頭を丸めろとまではいわない。でも、せめて在学中は髪の毛を短くして学生服を着なさい」

「なぜ、髪の毛を伸ばしてはいけないのですか」

「髪を伸ばしていたら、勉強に集中できないから」

そのやり取りを聞いて、「なるほど」と納得してしまった自分が恥ずかしいのです。なぜ恥ずかしいと思ったか、わかるでしょう。今は洛南高校は共学ですから、こんな理屈は通用しません。女子生徒に髪の毛を短くしなさいなどとはいえないでしょうし、髪の毛を伸ばすくらいで勉強に集中できないというのであれば、そもそも女子生徒がいれば男子生徒は勉強に集中できないことになってしまいます。

私の高校時代の話から始めたのにはわけがあります。

今日は、皆さんに哲学の話をしようと思ってきたのですが、どんなことも、本当にそうなのかを自分で考えるのが哲学だからです。

哲学は日本の高校の授業科目にはありませんし、哲学という言葉を聞いてもどんな学問かわかりません。哲学という言葉は、もともとはギリシア語ではピロソピア(philosophia)、「知(sophia)を愛する(philo)」という意味です。

皆さんに引きつけていえば、哲学というのは親や教師、大人がいうことが本当なのかと疑うこと、さらには、疑うことから始めて、いろいろなことを知ろうとすることです。知を愛する人は、既成の価値観を無批判に受け入れず、社会や文化の価値観を徹底的に疑わなければなりません。

哲学の中心的なテーマは、この人生をどう生きるのか、幸福とは何かです。皆さんには、なぜ勉強するのか、なぜ大学に行くのかをしっかりと考えてほしいのです。

ギリシアの哲学者であるソクラテスは死刑になりました。その理由の一つは、青年に害悪を与えたということでした。

ソクラテスが生きていた紀元前五世紀のアテナイ(現在のアテネ)では、若者たちは国家有数の人物になるためにソフィスト(弁論術などを教えた職業教師)について学びました。親は子どもたちの立身出世のためにお金を惜しみませんでした。

いつの時代も親は子どもの教育に力を入れます。問題は、親は子どもが余計なことをたずねることを好まないということです。なぜ勉強しないといけないかなどと疑問に思ってはいけないのです。

親を尊敬していたアテナイの若者は、そのようなことをたずねても親が答えられず、何も知らないことに気づいてしまいました。それで、親をそれまでのようには尊敬しなくなりました。一体、誰に影響されてこんな子どもになったのかと親が調べたらソクラテスだったのです。親たちにとって余計なことを教えるソクラテスは青年に悪影響を及ぼす危険人物に見えたのでしょう。

私はよく親に向けて話をする機会があるのですが、なぜ勉強するかというような話を、受験を前にした子どもたちにしないでほしいといわれることがあります。心がぶれてはいけないからというのです。でも、そんなことで心がぶれるようではだめです。むしろ、その問いに今こそ向き合わなければなりません。

今日は対人関係の話もしようと思っています。人と関わったら摩擦が起きないはずはありません。だから、傷つくことを恐れて、人と関わらないでおこうとする人もいます。でも、生きる喜びも対人関係の中でしか得ることはできません。将来、仕事に就いてからもどうしたらよい関係を築けるかを知っておく必要があります。仕事に必要な知識は学べても、対人関係について学ぶ機会は多くはありません。

ソクラテスは毎日、アテナイで青年と対話をして過ごしていました。ソクラテスが教壇に立って授業をする姿を想像することはできません。今日は私の話は短くし、できるだけたくさんの質問を皆さんから出してもらって、一緒に考えていきたいと思います。

岸見一郎

第1部

「よく生きる」ということ

「ただ生きる」のではなく「よく生きる」

「よく生きる」という第1部のタイトルは、プラトンの対話篇『クリトン』から引用したものです。『クリトン』の中に、「大切にしなければならないのは、ただ生きることではなく、よく生きることである」という一節があります。

これは、人が生きることには目標があり、それは「善」であるという意味です。この「善」はギリシア語では「ためになる」という意味です。人が生きることを初めとして何かをすることには目標があって、それは「ためになる」ことです。

さらに、この「善」は「幸福」とも言い換えられます。「よく生きる」というのは「幸福に生きる」ということです。ギリシアやローマの哲学者は、「人は誰もが幸福であることを望む」といっています。「幸福になりたくない」「不幸になりたい」という選択肢は初めからないということです。

議論できるのは、「どうすれば幸福になることができるか」ということだけです。多くの人が幸福になりたいと願っているにもかかわらず、実際には幸福ではないのであれば、幸福であるための手段の選択を誤っているからなのです。

「成功」と「幸福」は別もの

「成功することが幸福である」あるいは、「成功したら幸せになる」と考えている人は多いのではないかと思います。そのような人は、成功が幸福であるための手段であると考えているのですが、はたして成功すれば幸福になれるのかを吟味しないといけません。これがこの授業の大きな目的の一つです。

三木清（みききよし）という哲学者がいました。三木は一八九七年に生まれ、一九四五年に亡（な）くなった哲学者です。亡くなったといいましたが、殺されたといってもいいのです。治安維持法違反の嫌疑で逮捕された三木は獄中で敗戦を迎えました。ところが、政治犯や思想犯は敗戦後すぐには釈放されませんでした。三木は九月に独房で誰にも看取（みと）られることなく亡くなりました。もしもすぐに釈放されていたら死なずにすんだでしょうから、彼は亡くなったのではなく、殺されたといっていいのです。

三木は『人生論ノート』という本を残しています。高校の国語の教科書に載っていたこともあります。タイトルに惹（ひ）かれて手にしたものの、一読してもすぐには理解することは難しく、読み通せない人も多いかもしれません。

その三木が成功と幸福を並べて論じていて、「幸福が存在に関わるのに反して、成功は過程に関わっている」というのは、成功するためには何かを達成しないといけないという意味です。「成功は過程に関わっている」（『人生論ノート』）といっています。皆さんでしたら、受験勉強をして大学に入ることや、大学を卒業して一流企業に就職することが成功ということになるでしょうが、まだ大学に入っていないのですから、今はまだ成功していないということになります。

他方、「幸福が存在に関わる」というのは、私たちは幸福に「なる」のではなく、すでにこの瞬間において幸福で「ある」という意味です。皆さんは受験を前にして、まだ結果を出していません。しかし、結果を出していなくても、成功していなくても、今ここで幸せで「ある」のです。

哲学人生問答 01

「幸福」ということを、実感をもって理解できません。

Q　僕は「幸福」であるということを、実感をもって理解できません。

幸福が生きる目的であるならば、幸福を目指す過程で生じる苦しみもまた、幸福のためだと思えるのかもしれません。とすると、それは苦しみを「幸福だ」と自分に暗示をかけて思い込むようにしているようなものではないかと思うのです。そして、僕にはそうやって自己暗示をかけることとしか、自分が幸福だと思える方法が見つからないのです。

幸福であるとはどのようなことか、具体的に教えていただけないでしょうか。

（二年生・男子）

A　「幸福とはどのようなことなのか」ということを、現に幸福であると感じられていない人に説明するのは難しいです。

冬の寒い最中に、夏の暑さを理解するのが難しいのと同じです。皮膚が焼け焦げるような暑さを感じる日が続くと暑さは実感できますが、季節が巡り、秋になり冬になると、夏の暑さはそれがどういうものかは頭ではわかっても実感できなくなります。幸福について知ることにもそれと似た難しさがあります。

しかし、幸福であるために自己暗示をかける必要はありません。幸福は感覚的なものではないからです。私たちは今現に幸福でないとしても、幸福とは何かということをまったく知らないわけではなく、無知と知の中間にいます。幸福ということがどういうことかまったく知らなかったら、そもそも幸福であることを求めようとはしません。

今、勉強をすることが苦しいですか？

空を飛ぶ鳥は、空気があり風という抵抗があるからこそ飛べます。見ていると、前に向かって飛ぼうとしても風が強くて押し戻されてしまう鳥もいます。しかし、真空の中ではそもそも鳥は飛ぶことができません。風という空気抵抗があるからこそ、鳥は飛翔（ひしょう）することができるのです。

私たちの苦しみも、鳥が空を飛ぶために必要な空気抵抗としての風のようなものです。苦しみは自分が飛ぶことを妨げるものではなく、苦しみがあるからこそ飛べるのです。人間も苦しい時、何かの困難を努力をして達成した時にこそ、生きる喜びや幸福を感じることができます。

どんな努力をすればいいのか。幸福と幸福感がどう違うのか。少しずつ考えていきましょう。

哲学人生問答 02

給料とやりがい、どちらで仕事を選べば幸福になれるでしょうか。

Q　将来は経済性の高い、給料のいい安定した職業に就くべきなのか、それとも自分がやりたいと思っているブランド品のバイヤーになるべきなのか、悩んでいます。バイヤーの仕事は、お金が入らない可能性もあります。どちらを選択すれば幸福になれると思いますか。

自分は金銭欲がすごく強いので、稼げるなら魂を売り渡してもいいと考えています。とにかく、お金さえ儲(もう)かればいいのです。

（一年生・男子）

A　稼げるなら魂を売り渡してもいいということですが、稼げる仕事が自分が本当にしたいことでなければ幸福になれるかはよく考えなければなりません。

魂を売り渡すということで私がイメージするのは、ノルマを達成するために客のためにはならないことが明らかなものを売りつけたり、契約を結ばせたりするというようなことです。あなたがやってみたいと思っているバイヤーの仕事でも、利益を上げることだけを目指すようでは、同じようなことになりかねません。このようなことが「成功」だとしても、客が不利益を被るのであれば、最終的にはそのような仕事が自分の「ため」（善）になるのか、さらにはその仕事で幸福になれるのか、考えなければなりません。

私の理解では、幸福につながる仕事とは客の利益になることを目指し、そうすることで客が幸福に生きることに役立てたと思える仕事です。そう思える仕事であればこそ、寝食を忘れて打ち込むことができますし、そのような仕事をしていると幸福になれますが、客に損をさせてでも儲けようと思っていると、たとえ儲かっても幸福であるとは感じられないでしょう。

さらには、会社全体が社会に役立つ仕事をしているかが重要です。自分の会社さえよければいいというような会社はこれからの時代、生き残ることはできません。個人が、会社が、さらには社会全体がお金を得ようとすること自体に問題はありませんが、それを何のためにどう使うかを考えなければなりません。誰かの犠牲の上に成り立っているような社会においては誰も幸福に生きることはできません。自分だけが、一部の人たちだけが幸福になることはできないからです。

お金を得るにしても、何か有用なことのために使っていると思えたら、お金を儲けることが自分の幸福につながります。ただお金を儲ければいいと考えているのなら、自分のことしか考えていないといわなければなりません。

幸福は質的なもの、成功は量的なもの

三木はさらに、「幸福は各人のもの、人格的な、性質的なものであるが、成功は一般的なもの、量的に考えられ得るものである」といっています。

成功が量的であるというのはわかるでしょう。例えば、『嫌われる勇気』(岸見一郎、古賀史健共著)という本は、二百万部近く売れています(二〇一九年当時)。数字はわかりやすい成功の指標ですから、その数字を見て、私を成功者だと見る人はいます。

しかし、私にとって大切なことは質的な幸福です。たしかに本は売れましたが、「売れた」という成功よりも、この本が本当に届くべき人に届くことのほうが、私にとっては大切なことです。

韓国の中学生からメールがきたことがありました。メールは立派な英語で書かれていました。英語の後に韓国語でも書いてあったので、私は韓国語でメールの返事をしました。今の時代は英語ができればいいという考えの人が多いですし、その中学生も英語を一生懸命勉強して将来の仕事に生かそうと考えているのでしょうが、成功ではなく幸福を生きる目標にするのであれば、まわりの人からは合理的とは見えないことをしてもいいと思うのです。

私自身、皆さんと同じように、中学生になってから英語の勉強を一生懸命しました。後で話すことになるでしょうが、この洛南高校である先生に出会って以来、英語だけでなく、他の外国語にも目を向けるようになりました。それでも、長く私の関心は欧米に向いていたのですが、『嫌われる勇気』の韓国語版が出版され、続いて台湾版、中国版が出版され、私の関心はアジアに向かうことになりました。韓国で講演をする機会がたびたびあり、それで韓国語の勉強を始めたのです。

話を先ほどの中学生に戻すと、私はこの中学生からのメールに韓国語で返事をしたことを幸福に感じられたのですが、そのようなことは三木の言葉を使うならば「各人のもの」、さらに別の箇所の言葉でいえば「オリジナル」なものなので、理解されることはないかもしれません。

私はこの本が本当に必要としていた中学生のところに届いたのだという実感がありました。というのも、中学生のメールには、死のうと思っていたが、本を読んで死ぬのを思い留まったと書いてあったからです。本がたくさん売れたことではなく、他にも質的な幸福に結びつく経験を『嫌われる勇気』が出版されて以来経験したことが私には重要で、量的な成功と見る人は多いですが、私は成功には関心はないのです。

幸福はオリジナルなもの、成功は一般的なもの

前述したように、三木は、「成功は一般的なもの、量的に考えられ得るものである」といっている一方で、「純粋な幸福は各人においてオリジナルなものである」といっています。

成功が一般的であるというのは、例えば、「医学部に進学する」「政治家になる」

「官僚になる」「大企業に勤める」というようなことです。

幸福は一般的なものではなく、各人においてオリジナルなものです。

昨年、一緒に仕事をする機会があった島津有理子（しまづゆりこ）さんというアナウンサーが、突然退職されました。大学生の頃からなりたかった医師になるためだと聞きました。私は彼女と一緒に三木清の『人生論ノート』を取り上げた「100分de名著」という番組に出演したのですが、後にその番組は神谷美恵子（かみやみえこ）さんという精神科医の『生きがいについて』という本も取り上げました。その本や神谷さんの人生を知って、医師になりたいという気持ちが蘇（よみがえ）ってきたのだそうです。もちろん、アナウンサーの仕事を続けることもできたはずですが、医師になりたいという気持ちに従って仕事を辞める決心をされたのでしょう。その後、大学の医学部に入学し、今は若い学生さんたちと一緒に医学の勉強をされています。

なぜ、安定した地位に就いていた人が、突然仕事を辞めて医学部に行くのでしょうか。医師の資格を取り、実際に働けるようになるまでには、長く勉強しなければなりません。成功を目指す人にとってはこのような行動は理解できないかもしれません。「一般的なもの」ではないからです。

他方、幸福は「各人においてオリジナルなもの」なので、他の人には理解されにくいところがあります。皆さんはどうだったかはわかりませんが、進学校に入学したばかりの中学生が、六年後に、京大に行くか、東大に行くか、医学部に入るかということを話題にしているとしたら、私は空恐ろしい気がします。

島津さんの決心は医師になって成功するためのものではありません。それなら、なぜ医師になる決心をしたのか。このことについても考えなければなりません。今は、成功を目指すだけが人生ではない、それどころか成功をものともしない人がいることを心に留めてください。

どうしたら幸福になれるか

すでに三木清の『人生論ノート』を引いて「幸福とは存在である」という話をしました。これは人は何かを達成しなくても、今すでに幸福で「ある」という意味ですから、この上、どうしたら幸福になれるかを考える必要はないともいえます。

成功するためには何かを達成しなければなりませんが、幸福は存在なので成功する必要もなく、今幸福ではないからといって幸福に「なる」ことを目指さなくても、私たちは今すでに幸福で「ある」ことに気づくことが、普通の言葉でいえば「幸福になる」ことであるということができます。

それでも、これで話を終えるわけにはいかないので、どうすれば幸福になれるのか、具体的に考えてみましょう。

どうしたら幸福になれるか ❶

人からどう思われるかを気にしない

どうしたら幸福になれるのか。まず、「人からどう思われるかを気にしない」ことです。先ほど話した『嫌われる勇気』という本は、タイトルだけが独り歩きしている感がありますが、これは「人から嫌われなさい」という意味ではなく、「嫌われることを恐(おそ)れるな」という意味です。

私は長年カウンセリングをしてきましたが、カウンセリングにこられる人は、皆一様に誰からも嫌われていない、いい人です。では、なぜ嫌われていないのかというと、自分のいいたいことをいっていなかったり、自分が本当にしたいことをしていなかったりするからです。そのような人のまわりには、その人を悪くいう人はいません。私はそういう人たちにこそ、「嫌われることを恐れるな」といいたいのです。すでに嫌われている人はこの上、嫌われる勇気はいりません。

なぜ、嫌われることを恐れてはいけないのか。

私たちは、人からの評価に振り回されます。しかし、人からどう評価されるかということと、自分の価値や本質は、まったく別ものです。例えば「あなたっていやな人ね」といわれたら、たちまち落ち込んでしまい、その日一日真っ暗な気分で過ごすことになります。しかし、「いやな人」というのは、そう発言した人の自分に対する評価でしかなく、その評価の言葉で自分の価値や本質が低くなるわけではありません。

逆に「あなたっていい人ね」といわれたら、舞い上がってしまうかもしれませんが、それとてその人の評価でしかないので、その評価の言葉で自分の価値が高まるわけでもありません。

他者からの評価を気にして、人に合わせてしまうと、二つの問題が起こります。

一つは、たしかに人に合わせると自分のことを悪くいう人はいなくなるかもしれませんが、自分で自分の人生の指針を立てることができなくなります。人によく思われたいので、自分で決めないで、いいたいことがあっても自分の考えをいわなくなるからです。

皆さんはこの学校に入ることを自分で決めましたか？　親が行けといったからという人がいれば、その人は自分の人生なのに自分で決めていない、自分の人生なのに自分の人生を生きていないことになります。そのように人に合わせ、人からどう思われるかを気にして生きている人は、人生の方向性が定まらないだけでなく、人から信用されなくなります。あらゆる人にあなただけが好きといっているようなものですから、ある時、皆にそういっていることが発覚すれば誰にでもいい顔をする人と思われ、信用を失ってしまいます。

次に、いわなければならないことがいえなくなる、しなければならないことができなくなります。自分の進路について親からいわれたとおりに生きる人がいても、その人の人生だけの問題ですが、いわなければならないことをいえない、しなければならないことができないということは、個人の問題にとどまりません。

今の政治家や官僚は、自己保身のために不正を見逃したり、平気で嘘をついたりします。いわば、生活を人質に取られているので、不正を許してはいけないと思っている人でも上司に逆らえずに黙ってしまうか、嘘をつきます。しかも、生活を守るためだけではなく、不正に目をつぶって出世をしようとする人もいます。そんなことをすると評判を落とすに違いないのに、結局、昇進していきます。そういう現状を見るにつけ、たとえ上司からどう思われようと、違うことは違うといえる勇気を持ってほしいと私は思います。不利な目に遭ったとしても、不正を告発することを支援する人は必ずいます。そういう人がいなければ、世の中はよくなりません。だから、人からよく思われたいと思ってはいけないのです。先に質問した人の言葉を使うならば、魂を売り渡すようなことはしてはいけないのです。

哲学人生問答 03

人の評価と自分の考えとの線引きがわかりません。

Q 中三か高一くらいの時に、自分は他人のことを気にしすぎていたことに気づきました。それ以降は、逆に一切人のことを気にせず生きてきました。

ですが最近、本当にこれでいいのかと思うようになってきました。人の評価を気にしないということは、人の意見を自分に還元できないということにならないでしょうか。

また、人に迷惑をかけてしまう場合でも、人の評価を気にせず生きていていいものでしょうか。

人の評価と自分の考えの線引きがわかりません。　（二年生・男子）

A 他者の評価や意見には一切耳を傾けなくていいといっているわけではありません。多くの人が自分について同じ評価をするのであれば、自分では認めたくはないことであっても、その評価は正しいかもしれないので耳を傾けなければならず、必要があれば自分の態度を変えなければなりません。他の人の意見にも耳を傾けなければ、独りよがりになってしまいます。

それでも、他の人の下す評価がすべて間違っていることもありますし、評価を気にして自分の考えをいわなくなれば、先にもいいましたが、自分の人生を生きられなくなります。

親は我が子に対していろいろと意見します。「もっと勉強していい大学に入りなさい」などと進路について意見をするばかりか、性格や生き方にまで干渉することがあります。「このままでは駄目だ」というようなことまでいわれたら嬉（うれ）しくはありませんし、腹も立つかもしれませんが、親は自分をそんなふうに見ているのだと親の評価を受け止めるしかありません。それが正当な評価であれば受け入れ、必要があれば自分の行動を変えればいいのであり、親だけでなくまわりの人の評価を一切無視して、傍若無人な生き方をしていいといっているわけではないのです。

しかし、可能な限り他者の意見に耳を傾けても、あえて自分の意見を通さないといけない場面は多々あるということを知っておかなければなりません。仕事の場面では、よく思われたいと思い、いつも上司のいいなりになる人は信頼されません。真っ当な上司であれば、イエスパーソンと仕事をしたいとは思わないでしょう。上司と考えが違っても、きちんと主張できる人のほうが、上司からすれば共に仕事をしていて楽しいと思えるのです。

他人のことを気にかけなければならないのは、「実質的な迷惑」を及ぼしている時です。実質的な迷惑というのは、例えば夜中に大きな音量で音楽を聴くというようなことです。どんな音楽を聴いてもそれを誰かから止められることはありませんし、たとえそんな音楽は聴くなという人がいても、その考えに耳を傾けなければならないいわれはありません。しかし、夜中に大音量で音楽を聴けば、家族がそのことで実質的な迷惑を被ることになるでしょう。そのようなことはしてはいけないのです。

こんなことでなければ、実際には自分の決断が他の人に実質的な迷惑をかけることはあまりありません。ただし、自分の決断が感情的な迷惑を及ぼすことはありえます。例えば、大学には進学しないで働くといったら、当然大学に行くと思っていた親はそのことに驚き、困惑するでしょう。怒る親もいるでしょう。

でも、これは親が自分で何とかするしかないのです。親が「私はあなたが大学に行ってくれなかったら悲しいので、お願いだから大学に行って」と頼んできたとしても、また「大学に行かないでどうするつもりだ」と親がすごんできても、自分の意見を通していいと私は思います。もちろん、その決断の責任は自分が取るしかありませんから、思いつきでいうようなことではありませんし、なぜ大学に行かないのかと親にたずねられた時に、きちんと理由をいえるようにしっかりと自分の考えを持たなければいけません。

決断してうまくいかなかったら、もう一回やり直せばいいのです。一度決めたからといって最後までやり遂げなければならないわけではありません。むしろ、自分の決断が間違っていたことがわかれば、できるだけ早く撤収するべきなのです。たとえ、これまで自分の選択のために多くの時間とエネルギーを割いてきたとしてもです。

将来、好きな人と結婚したいと思った時、親が反対したら諦めますか？　そんなことはないでしょう。

他人の意見に耳を傾けることは先にもいったように独りよがりにならないためには必要ですが、他人の意見に耳を傾け、しかも他人の意見に従う人は、自分の人生に責任を取りたくないのかもしれません。少なくとも、自分の人生に責任を取るのが怖いのです。何かを自分の判断でやってうまくいかなかった時に、人のせいにできると考えるのです。そんなことをしてみたところで、誰も自分の人生を代わりに生きてはくれないのですが。

哲学人生問答 04

人の評価を気にせず行動していると、自分がずれていると感じます。

Q 僕は他者の評価を気にせず自分の考えで行動していますが、まわりは人の評価を気にして、人に合わせて生きている人がほとんどです。そうすると、どうしても「あれ、自分だけずれているな」と思う場面が多くなります。

人のことは気にしていないつもりなのに、なぜ自分はずれていると思ってしまうのでしょうか。また、なぜまわりの人は人の評価を気にするようになったのでしょうか。

（二年生・男子）

A 自分はずれていると思うのは、人の評価を気にしているからでしょうね。考えなければならないことは二つあります。

まず、自分の価値を自分で認められなくなってしまっているからかもしれないということです。何をする時も、本当に正しいことなのか自分では確信が持てなくなってきているということです。自分の行動は正しいという確信を持てていれば、ずれを意識することはないでしょう。

次に、今いったこととは反対に、ずれを感じるのは、自分の価値を人からの評価とは関係なく確信できているということでもあるのです。

将来、皆さんは大学を卒業すれば何かの仕事に就くでしょう。仕事をしていく上で評価は避けられませんが、その評価が正しいとは限りません。仕事を離れても「自分はこうしたい」とか「こうするべきだ」と考えても、それを必ずしも皆が評価してくれるとは限らないのです。私は若い人の感性や知性のほうが優れていると考えていますが、親や上司など年長者は、自分たちの常識で反対します。ところが、結果的には若い人がいっていたとおりだったというようなことはいくらでも起こります。他あなたのように「自分は皆からずれている」と感じる人の存在は大事なのです。他の人の判断に惑わされず、しっかりと自分の考えを持っているからこそ、他の人とのずれを感じるのです。自分の考えを持たず、皆が同じことを考え、同じ行動をしていたら、世の中はまったく発展しないことになりますし、ずれている人がいない世の中は皆が容易に特定の考えになびくという意味でファシズムの温床になります。

まわりとの摩擦は避けることはできませんが、ずれているからといって周囲に合わせてしまうのではなく、自分自身が正しいと信じることを主張する勇気を持ってほしいです。

哲学人生問答 05

自分が比べなくても、人から比べられてしまいます。

Q 他者との比較ではなく、自分がしたいことをすることが大切だというのはわかりました。でも、例えば学校のテストや模試などもそうですが、自分が人と比べなくても、他者から勝手に比べられることがあります。それにはどう対処したらいいとお考えですか。

（三年生・男子）

A 比べる人は放っておくしかありません。他の人が自分のことを比べたり評価したりすることを止めることはできません。自分は自分がしたいこと、自分ができる最善のことをその時々で全力ですることだけを考えればいいのです。それを他の人がどう評価しようが、そのことは自分とは何の関係もないと割り切ることです。「他者からどう思われるか」とか「どう評価されるか」で自分の考え方がぶれるようなことがあるとしたら、まだ十分に自信が持てていないからです。そういうことが気にならなくなるように、自信を持って自分のしたいことに取り組んでください。

哲学人生問答 06

不満を糧に生きています。間違った考え方でしょうか。

Q 私は不満を感じることで、一歩前に進む力を得ていました。不満がないと不安になるくらいで、それを糧に生きていると感じていますが、その考え方は間違っているのでしょうか。

（二年生・女子）

A あまり健全な考え方とはいえませんね。

たしかに、不満をバネにして頑張る人はいます。しかし、不満だから、足りないから何かを求めるというのではなく、満足というところから意欲が起こるというのが健全な考え方なのです。

また、常に不満を糧に、不満を抱いて生きると自分も疲れますが、まわりの人も大変です。どういう意味なのか説明しましょう。

幸せになるには勇気がいります。なぜ幸せになるのに勇気がいるのか。不満もなく幸福であれば、たちまち誰も注目してくれなくなるからです。いつも不満な表情をしていたり、自分が不幸であることをアピールするような人は、まわりの人は注目しないわけにはいきません。そのようにしていつも人から注目を得たいと思っている人がいます。

親からほめられて育った人は、何かをした時にほめられたいと思うようになります。勉強していい成績を取ったら親はほめてくれたでしょう。でも、いい成績を取れないと、親はこんなことでは駄目ではないかといいます。いつもいい成績を取ると親の要求水準は高くなりますから、そうなると十分いい成績を取っても親は満足しなくなります。

そもそも親のために勉強するのはおかしいでしょう？　それなのに、いつの頃からか親にほめられるために勉強してきたという人も、皆さんの中にもいるかもしれません。そのような人が親が期待するようないい成績を取れず、親に喜んでもらえなくなったらどうするでしょう。親が困ることをして親に認められようとします。これは非常に屈折した承認欲求だといわなければなりません。

いつも不満を感じ、不幸そうにしていればまわりの人が構ってくれます。構ってもらえないかもしれませんが、親が自分を腫れ物に触るように扱ってくれたら、いつも注目されます。でも、幸福になってしまったら誰も注目してくれなくなります。だから、幸福にならないことを選ぶのです。

不幸だったり不満を持ったりしていれば注目されることを知ると、そのことがどこか心地いいと感じるようになります。反対に、不満を持たず、機嫌よく生きれば、誰からも注目されないでしょう。なぜ幸せになるには勇気がいるのかわかりましたか。

哲学人生問答07

危機感や焦燥感がないとモチベーションが保てません。

Q 先日、定期テストの答案が返却されました。結果がよくなくて、返却された瞬間は悔しかったのですが、家に帰りついた時にはもうその悔しさが消えていました。

僕は危機感や焦燥感があって初めてやる気が出るタイプです。こういう悔しさややる気、モチベーションを、次のテストまで持続させる方法を知りたいです。

（一年生・男子）

A 悔しい気持ちがなくなるのはいいことです。なぜなら、試験の結果がよくなくても悔しく感じる必要はないからです。試験を受ける時、勉強する時に悔しさ、危機感、焦燥感は必要ではありません。そういうものがないと勉強できないというのは、不満を糧に生きているという先に質問された方と同じです。

二つのことが必要です。

まず、テストの結果を見ることです。自分はどこが足りていなかったのか、どこをもっと勉強しなければならないのか、現状をきちんと分析し、今後何をするべきなのかを見極めることです。それができることだけが重要なのであって、危機感も焦り（あせ）も悔しさも必要ではありません。

もう一つは、勉強もテストも「他人との競争」であるという考えを、自分の中から取り除いてしまうことです。

勉強もテストも、ただ自分の問題です。他の人と比べる必要はまったくなく、自分の問題として、もう少しいい成績が取れたはずなのに、取れなかったのはなぜかということだけを考え、次は今回よりもいい成績を取るために努力すればいいのです。ただ勉強の進み具合や、前回の試験勉強の仕方に改善の必要があれば、それを見つければいいのです。

私が研究しているオーストリアの心理学者・精神科医のアルフレッド・アドラーは、感情について独自の考え方をしています。アドラーは、何か原因があって感情が起きるとは考えないのです。そうでなく、何かの目的のために感情を作り出すと考えるのです。先に、試験の結果がよくなくても悔しく感じる必要はないといったのは、悔しいという感情は試験の結果がよくなかったことが原因で起きる感情ではないからです。

「悔しい」という感情が「起きる」のではなく、その感情を何かの目的のために「作り出す」のです。その感情はどんな目的を達成しようとして作り出されたのでしょう。次回はいい成績を取ろう、そのためにはもっと勉強しようと思うためかもしれません。頑張ったのにこんな結果しか出せなくて残念だったと思い、悔しいという感情を作り出すことで頑張ったことを自分で認めたかったのかもしれません。

いずれにしても、悔しさは必要ではありません。前者であれば、十分知識が身についていなかったのですから、その点を学び直せばいいのですし、後者であれば、試験は過去のことですから悔やんでも仕方がないのです。逆に落ち込んでしまって、「もう駄目だ」と思うのも感情ですが、そういう感情を持つことで「もう勉強するのをやめよう」と決心する人がいるかもしれません。

「自分は何をしたいのか」という目的を考えると、はたして感情をバネにしてやる気を出そうと自分を奮い立たせるのは、本当に必要なことなのかどうか。私はまったく必要がないと思います。

どうしたら幸福になれるか❷

自分の人生を生きる

「どうしたら幸福になれるか」ということについてもう一つ話したいのは、「自分の人生は自分で決める」ということです。

先日、ある大学の医学部を卒業した人から、医師になるのをやめたという話を聞きました。なぜそういう決断をしたのか。「自分は親によく思われたい、親に気に入られたいと思ってこの歳まで勉強してきたけれども、それでは駄目なのではないかということに思い当たったから」というのです。彼は評価、つまり親によく思われたいという理由で医師を目指しました。でも、そんな人生を生きてしまうことに疑問を持ったのです。

この人は自分の人生は自分で決めるべきだと思い当たったのでしょうが、親に気に入られたいと思って勉強してきたのが駄目だと思って医師にならないというのも、結局のところ、親の影響下にあるのです。親に従うのであれ、反発するのであれ、親の反応を見ているようであれば、人の人生を生きることになり、自分の人生を生きられないことになります。

哲学人生問答 08

家族の人生と自分の人生、どちらを大事と考えるべきでしょうか。

Q 先生は、自分だけでなく家族の人生が関わってくる場合でも、人にどう思われるか気にするべきではないとお考えでしょうか。

具体的にいうと、例えば政治家や官僚の不祥事です。彼らは不祥事が発覚すると、たいてい嘘をついて世間の信用を失います。ですが、彼らにも家族がいるので、「失職するとこの家族を食べさせていくことができなくなる」と考えるかもしれません。この場合、嘘をつくのは自分の人生よりも家族の人生を優先しているから、とは考えられないでしょうか。

また、このことを自分の身に置き換えて考えてもみたのですが、例えばもしも自分の両親が寝たきりになり、それ以上医療費を払うと自分自身が食べていけなくなるといった場合はどうなのでしょうか。両親が死なせてくれと思っているのか、このまま何があっても生かしてくれと思っているのかということにもよると思いますが、こういう時は家族の人生が自分の人生よりも大事と考えるのか、それとも家族より自分の人生のほうが大事だと考えるのか。先生のご意見をお聞かせください。（二年生・男子）

A　おっしゃることはよくわかります。しかし、譲ってはいけないことがあります。
政治家や官僚、また会社に勤務している人の事例でいえば、真実を語ることによって不利な目にあうかもしれませんし、失職するかもしれません。多くの人が生活を人質に取られているので、下手なことはできないと思うのです。でも、私は家族が支持してくれると思います。子どもが親のことを気遣って真実を語らなかったとしたら、親の立場でいえば、親は子どもが真実を語らないことのほうをむしろ悲しむでしょう。

あらかじめ家族に相談しておいたほうがいいかもしれません。「今回こういうことがあって、非常に難しい立場に置かれているが、それでも私は本当のことをいいたいと思う。そのことに伴って家族にも迷惑がかかることがあるかもしれない」と、自分がどうしたいと考えているかを家族に説明しておくのです。家族は反対するかもしれませんが、家族が反対するからといって自分の決断を撤回しなければならないわけではありません。

私は家族の考えを踏みにじれとか、家族がどう考えようがどうでもいいといっているわけではなく、家族に反対されたからといって自分の意志を曲げる必要はないといいたいのです。家族をも説得できない人が正義のために闘うことなどできません。それすらできないようでは、政治家や官僚としても無能だといっていいくらいです。家族のことを持ち出す人でも、本当は自分がするべきことをする責任を取りたくないのかもしれません。その場合も、家族はそういう親やパートナーを見て失望するでしょう。それならいっそ正直に、真実を明らかにするのが怖いといったほうがいいでしょう。

このような難しい立場に置かれた人が、誰にも相談できないことがあります。職場の同僚や上司に相談できたらいいのですが、それが叶わない時には家族に相談してほしいです。

もう一点おっしゃった、親の終末期のケースは本当に難しい問題です。親の人生も自分の人生も大切です。比べることはできません。

親が元気な時に、もしも延命治療が必要になったらどうしてほしいのかたずねておくといいです。でも、実際に延命治療が必要になった時に親が元気だった時にいっていたのと同じ考えでいるかはわかりませんし、延命治療についてたずねる前に親が亡くなるということはありえます。

さらに、こんなことを実際に聞けるかどうかはわかりませんが、多額の医療費で家計が圧迫されると困ると、親に相談してみてください。このようなことをいわれたら、親は困惑し、悲しみ、怒るかもしれません。こんなことをいっても感情的な摩擦が生じないような関係を、日頃から築いていないといけません。率直に子どもが自分の考えを伝えることは難しいですが、終末期にかかる莫大（ばくだい）な医療費について親はどう思っているのかということを、探り合ったり推測し合ったりするような関係は、いい関係とは思わないのです。日頃から率直に何でもいい合えるような関係を築いておいた上で、いざという時にどうするかを考えておくべきでしょう。

しかし、こうはいってみたものの、高額な医療費を理由に延命医療をしないというようなことを考えるのは、生産性や経済性で人間の価値を見るという考え方に毒されているからです。親にはどんなことがあっても生きてほしいということを伝えないで、医療費のことを持ち出せば、子どもから死ねといわれている気がするでしょう。

実際、今はあなたのご両親はお元気で親が寝たきりになった時のことを想像することは難しいかもしれませんが、たとえ親が死なせてくれといったとしても、親にはどんなことがあっても生きていてほしいと思うでしょう。延命治療を拒む人がいますが、痛みがひどいとか、信仰上の理由ではなく、家族に迷惑をかけたくないからというのは悲しいことです。

今の質問は非常に難しいケースですが、もう少しわかりやすいケースで考えてみます。

皆さんにとっては先の話になるかもしれませんが、将来皆さんが結婚する時、親に反対されたら従いますか？

親に反対されたからといって好きな人との結婚を諦めるようでは、自分の人生を生きることができなくなります。親に、「あなたがあんな人と結婚するなら、もう私は悔しくて死んじゃうから」といわれても、「そうですか。残念です。短いお付き合いでしたね」と答えてほしいと思います。

皆さん笑っておられますが、それくらいの覚悟がないと、自分の好きな人と結婚することはできません。「親がどう思おうが関係ない」と割り切れる人はいいのですが、実際にそう割り切ることを難しいと思う人もいるでしょう。そういう時も、相談するしかないのです。どれだけ親に反対されても、私が付き合っている人はいい人、今はあの人のよさをわかってもらえないかもしれないけれども、私たちを見守ってほしいと自分の考えをいえる関係を、この場合も日頃から築いておかなければなりません。

もちろん、それでも親に理解してもらえないことはあります。親は相手が誰でも反対するのが仕事だと思っているのではないかと思うほど、反対するものです。

昔の話ですが、私の母の高校時代の同級生が、ある映画監督を志望する大学生と真剣に付き合っていました。しかし、彼女はその交際を親から猛反対されました。映画の仕事など儲からないからというわけです。子どもが結婚しようとする人を、お金を稼げるかどうかで判断する親は困ったものです。そのような親も人間の価値を生産性や経済性でしか見ていないのです。

結局、彼女はその人との結婚を諦めたのですが、時は流れ、彼は世界的に有名な監督になりました。これは「彼が成功したので逃した魚は大きかった」という話ではもちろんなく、「親が反対する理由は必ずしも正しいとは限らない」という話です。子どもが結婚する時に親の反対する理由は、必ず間違っているといいたいくらいです。この先どうなるかなど、誰にもわかりません。それなのに、自信たっぷりに子どもの結婚に反対する親が子どもの人生に責任を取ることなどできないのです。もちろん、子どもの立場からいえば、自分の人生について責任を取ってもらう必要はありません。

韓国で講演をした時、若い人が「好きな人と結婚したいけれど親不孝したくない」というので、驚いたことがあります。結婚しても親に喜んでもらえなければ意味がないと思っているのです。たとえ今は反対されても、何年かしてあの時反対しなくてよかったと親が思うような結婚をすれば、それが親孝行になると私は答えたのですが、これとて自分の結婚と親孝行は本当は関係ないですね。

親が子どもの結婚に踏み込んでくるのも困りますが、反対に無関心というのも、それはそれで困ったことだと思っています。子どもからは結婚の話は聞いていないという親は、聞くと態度決定を迫られるので聞きたくないだけかもしれません。

哲学人生問答 09

友だちの行動が望ましくない場合、直したほうがいいと指摘すべきですか。

Q 友だちの行動について、よくないなとか直したほうがいいのではと思うことがあります。自分としては、友だちだからこそ指摘して直してあげたいと思うのですが、それはおせっかいであるとも思えます。その線引きが難しく、悩んでいます。

（二年生・男子）

A　アドラー心理学では「課題の分離」といいます。まず「この問題は誰の課題なのか」ということをはっきりさせます。あることの最終的な結末が誰に降りかかるのか、また、あることの最終的な責任を誰が取らなければならないのかを考えた時、それが誰の課題なのかがわかります。

先の質問での結婚する、しない、誰と結婚するかは子どもの課題であって、親の課題ではありません。

今の皆さんの身近なことでいえば、勉強するか、しないかは、自分の課題です。ところが、親や先生は「勉強しろ。こんなことでは駄目ではないか」といいます。この時、こんなふうにいわれて嬉しくないと思うとすれば、土足で自分の課題に踏み込まれたと感じるからです。親や先生からそんなことをいわれる人でも勉強しなくていいとは思っておらず、「勉強するべきだ」と思っています。それなのに、親や先生から自分の課題に土足で踏み込まれたら「あなたにいわれたくない」というようなことが起こるわけです。「せっかく勉強しようと思ったのにやる気をなくした」という人がいるかもしれません。本当はやる気などなくてもそういって親に反発するでしょう。

対人関係のトラブルの多くは、人の課題に土足で踏み込むこと、踏み込まれることから起こります。勉強は親や先生の課題ではないので、親や先生は子どもや生徒の課題に踏み込むことはできないのです。

さて、質問に対する一番シンプルな答えは、「友だちの課題に一切踏み込まない」です。そうすると対人関係トラブルは避けられます。しかし、親や教師が子ども、生徒の課題にまったく口を挟めないかといえばそうではありません。友だちの場合もです。

本来、自分の課題ではないけれど、相手との共同の課題にすることはできるのです。ただし、共同の課題にするためにはきちんと手続きを踏まなければなりません。

子どもが勉強しないということで相談にこられる親には、私は「勉強しなさい」といってはいけないと助言します。勉強するしないは子どもの課題であって親の課題ではないからです。親が何もいってはいけないのかとたずねたら、何もいってはいけないといいます。これまでも、ずっと勉強しなさいといっても勉強しなかったのであれば、同じことをし続けても同じことしか起こらない、つまり勉強しないということを理解してもらいます。

ですから、親は子どもの課題に口出しをする必要は本来的にはありませんが、どうしても声をかけたいのなら、親には子どもにこんなふうに声をかけてみたらといいます。

「最近のあなたの様子を見ているとあまり勉強されているようには見えませんが、そのことについて一度話し合いをしたいのですがいいでしょうか」

大抵、「いやだね」といわれるでしょうが。その場合も、怯(ひる)まずこういおうと助言します。

「事態はあなたが思っているほど楽観できる状況とは思いませんが、いつでも相談に乗るので、その時はいってくださいね」

実際には親に相談する子どもはいないでしょうが、もしも子どもが、「相談に乗ってほしい」といってきたら、その時は相談に乗らなければなりませんし、力になってほしいと子どもがいうことの中でできることをしようと親には話します。

皆さんはどうですか？　こんなふうに親から勉強のことで口出しされたいですか？　私の息子は「親から勉強しろといわれて勉強するようでは駄目だ」といっていました。だから、私も子どもに「勉強しなさい」といったことは一度もありません。

友だちとの関係を、今のご質問に当てはめて考えてみます。自分の大事な友だちだったら、きっと力になりたいと願うと思うでしょう。しかし、そういう時でも、相手の課題に土足で踏み込みはしないでしょう。

「最近のあなたを見ていると、心配なんだけれど、その話をしてもいいか」と、まずはそう話しかけます。その上で「放っておいてくれ」といわれたら「いつでも力になるからいってほしい」と伝えます。こういうふうに話しておけば、その人が本当に困っていれば、悩みをいつか打ち明けてくれるかもしれません。その時に「それはあなたの課題でしょう」といってはいけません。そういう時は、親身に相談に乗りましょう。

ただし、その場合でも自分の意見を押しつけないのがいいでしょう。これは私の意見であるとはっきりいった上で、採否は相手に任せます。相手との関係性がどのようなものであっても、適度な距離を取ることが大切です。課題の分離の話をすると、冷たいという人は多いのですが、適度な距離が取れた関係は冷たいのではなく、涼しいのです。コールドではなく、クールです。熱い人間関係が最善だとは私は思いません。クールな関係を築くためには、課題を分離し、その上で必要があれば共同の課題にしなければなりません。

課題の分離は問題解決の手段であり、最終的な目標ではありません。私たちの人生の目標は、協力して生きていくことです。いかに協力していくかということを考えられる人になってほしいと思います。

哲学人生問答 10

何についてもモチベーションが持てなくなってしまいました。

Q 入学して以来今日まで、今まで生きてきた中で一番というくらい適当に生きるようになりました。テストの結果にもまったく興味がなく、勉強に対するモチベーションも最初からありません。何をやるにも力が出ません。

このままではヤバいので、モチベーションの持ち方を教えてください。

（一年生・男子）

A 「何を人生の目標にするか」「何のために勉強するのか」ということを考えましょう。何の疑問も持たずに勉強を一生懸命している人がほとんどかもしれません。しかし、なぜ勉強するのかをしっかり考えてほしいと思います。

私が昔、この洛南高校に通っていた時、友だちはほとんどいませんでした。親が心配して、担任の先生に「息子は友だちがいないけれど大丈夫ですか」と相談したところ、先生は、「岸見くんは友だちを必要としない人です」といわれました。そのことを母から聞いて、私は友だちを必要としないということに気づきました。それだけで人生の見方が少し変わったように思いました。

でも友だちが一人もいなかったのではありません。一人だけ、気になる友だちがいました。もっとも彼が私のことを友だちと思ってくれていたかはわからなかったのですが。

彼は普通の生徒がやるような勉強はしませんでした。「線型代数をマスターすればどんな数学の問題も解ける」といって、授業中もずっと線型代数の勉強をしているような人でした。だから、成績はあまりよくなかったのですが、5を取っていた教科が二つだけありました。それが倫理社会と宗教でした。これは当時でも珍しいことでした。そして洛南高校は卒業しましたが、大学には進学しませんでした。これは当時でも珍しいことでした。卒業後しばらく消息不明だったのですが、風の便りに彼が丹後の山奥に一人で住んでいることがわかりました。その後もまた連絡が途絶え、次に彼の消息を聞いた時には、タイでジャーナリストになっていて驚きました。タイに行ってから英語とタイ語を学び、ビデオジャーナリストとして活躍していたのです。

そんな彼にモチベーションがなかったかといったら、そうではありません。たしかに彼は大学で学ぶことはまったくないといって大学には進学しなかったのですが、四十代になってから、「今になって思うとあれは若気の至りで、学ぶことはたくさんあったと思う。若い時にもっと勉強しておけばよかった」とブログに書いているのを読んだことがあります。

彼の生き方を皆さんに紹介したのには、二つ理由があります。

一つは、彼が自分で自分の人生を選んでいること、もう一つは、彼が例えば医師になるというようなわかりやすい成功を、人生の目標にしていないことを知ってほしいからです。

もちろん、医師になろうとする人、政治家や官僚になろうとする人が皆人生の成功を目指しているとはいいませんが、世間的な成功者になるために医学部を受験しようとしている人はいます。そういう人は、モチベーションは高いかもしれませんが、それが本当にその人の生きていくべき人生かどうかは、すぐにはわかりません。

もしかしたらあなたも、大学受験のため、成功者になるためのモチベーションを欠いているだけであって、本当は自分がしてみたいことが他にあるのかもしれません。

どうしたら幸福になれるか ❸

ありのままの自分を受け入れる

次に話したいことは、「人からどう思われるか気にしない」「ありのままの自分を受け入れる」ということです。

カウンセリングにこられる若い人に、私はこんな質問をすることがあります。

「あなたは自分のことが好きですか」

この質問をすると、多くの人が「どちらかというと自分のことは嫌いです」か「大嫌いです」といいます。「自分のことは大好きです」と答えられる人は、カウンセリングにはこられないでしょう。私はそういう人たちに何とかして、ありのままの自分を受け入れることができる援助をしたいと思っています。

自分という「道具」は、他の道具と置き換えることができません。パソコンやスマートフォンなどは、お金さえ出せば買い替えることはできますが、自分という道具は買い替えることはできません。若い皆さんにはこれから長い人生が待っていますが、どんなに癖があっても、「この自分」と付き合っていかなければならないのです。それなのに、「この自分」が好きになれないのであれば、幸せにはなれません。
アドラーは、「自分に価値があると思える時だけ、勇気を持てる」といっています。「自分に価値があると思える」というのは、他者からの評判や他者にどう思われるかということを気にすることなく、自分をありのままに受け入れることができるということです。

哲学人生問答 11

人の評価を気にして生きてきたので、「ありのままの自分」がわかりません。

Q 自分は子どもの頃から、まわりの人にどう思われているかをすごく気にして生きてきました。今までずっと、何をするにも常に他人に探りを入れるような言動を取ってきていたからか、高校生になった今では、反射的にそう考えるようになってしまいました。
今は「ありのままの自分」ということそのものが何なのかよくわからなくなってい

て、逆にそれがわからず他人に探りを入れるのが自分なのかと思ったりしています。

（二年生・男子）

A　あなたのような人には、少しくらい人から嫌われてもいいといって、ちょうどいいくらいです。それくらい人の気持ちに配慮ができるなら、これからは自分の責任で生きていく決断をしていかなければなりません。しかし、何かきっかけはいるかもしれませんね。

私はずいぶん長い間、高校生の家庭教師をしていました。ある時、私が教えていた生徒が「昨日は私は黙っていませんでした」といいました。どういうことかというと、彼女の父親が受験情報誌を片手に娘の進路について、「この大学はいい大学だけれどもお前の偏差値ではとても無理だ」とか、「この大学はお前の力で行けるけれど、女の子が一人で下宿するなんて絶対に駄目だ」など、よく二時間くらい説教していたのだそうです。

そんな親に育てられてきた彼女ですが、ある日父親に、「私の人生だから私に決めさせてほしい」といったそうです。娘がそんなことをいうなどとは思ってもいなかった父親は、彼女の言葉を聞いて怯んだそうです。彼女は父親が怯んだ隙に、さらにもう一言、こういいました。

「お父さんがいいという大学に進学して四年目に、こんな大学に行かなければよかったと私が思った時、お父さんは私に一生恨まれることになりますが、それでもいいでしょうか」

「自分の人生に責任を持つ」とは、そういうことです。自分で自分の人生に責任を持とうとすると、その時は親に叱られるかもしれません。「お前のためにこれまでいったいどれだけ投資してきたかわかっているのか」というようなことを、親はいったりします。それでも、自分の人生を生きようと私はいいたいのです。

いつか、人生の重大決心をしなければいけない日がきっと来ます。そういう時、人の顔色をうかがっていては駄目です。それは結局、無責任だと私は思います。人間的にはいい人で、何事もない時には人生もうまくやっていけるかもしれませんが、人生の大きな決断をしなければならない時にどうするかは重要な問題です。依存とまではいいませんが、人に頼ってしまうことは避けなければいけません。

あなたは今、高校二年生ということですが、これからやってみたいことがありますか？　それがあれば、これから親とひと悶着（もんちゃく）あるかもしれません。これから何をしていいかわからないというのでは困ります。大学には行きたいけれども、経済学部でも法学部でもどっちでもいいというような人がいますが、どの学部に進むかで、その後の人生は大きく変わってきます。誰からも押しつけられず、誰の判断も当てにせずこんなことをしたいと思えたら、ありのままの自分を生きているのです。

人生の目標は成功だと思っている親は多いと思います。多くの親が、子どもには成功して安楽な道を歩んでほしいと考えます。ですが、それに従っていては自分の人生を生きることになりません。私は皆さんには是非、自分の人生を生きる決断をしてほしいと思います。

哲学人生問答 12

自殺したい人、闘病中の人に対して何ができるでしょうか。

Q 死にたいという気持ちが強い人、闘病中の人など、勇気を持つのが困難な状況にある人はどうしたらいいのでしょうか。

例えば、目の前にビルの屋上から飛び降りようとしている人がいた時、そこで止めることは、はたしてその人にとって善なのか悪なのか。

死にたい気持ちが強い人に対して何ができるのか、先生のご意見をお聞かせください。

（一年生・男子）

A　議論をする必要がない、大前提というものがあります。「生きることは、絶対の善である」ということが、それに当たります。すべてはそこから始まります。

「自分が直面しなければならない課題があるけれども、その課題を自分の力では解決できない」と思った人が死を選ぶということは、残念ながらあります。人が死にたいと思う気持ちのことを「希死念慮（きしねんりょ）」といいます。精神科医院に勤めていた時、そういう患者さんはたくさんおられました。

ある人が「死にたい」といい始めた時に、まわりの人にできることは、残念ながらあまりありません。しかし、できることがあまりない中で、死んでほしくないということを、私はずっと伝えてきました。

夜中に、高校生からメールがきたことがありました。

「先生は私が死んだら悲しいですか」

「悲しいです」

そう私は即答しました。このように返事をしても、どう受け止められるかはわかりません。しかし、その人が生きていることは、死ぬことよりもはるかに「善」であるということを、私は強調したかったのです。

ある若い人から、友人が自ら死を選んだが、死後、その友人の存在がいかに残された自分にとって大きいかということに気づいたという話を聞いたことがあります。亡くなられた方は、自分がまわりの人にとって大切な存在であることに気づいていなかったのです。多くの人は、自分が生きているということが、他の人にとってどれだけ価値があるかということを知らないのです。だからこそ、日頃からまわりの人がその人の価値をきちんと伝えておかなければならないと思います。

今の世の中は「生産性」や「経済性」で人間の価値を判断しがちですが、人間の価値は生産性で決まるわけではありません。生きている、ただそのことに価値があるのです。「あなたとこうして一緒にいられること、あなたが生きていることがありがたい」、このように不断に言い続けるしかないのです。そういえるためには、まず自分自身が生きていることに価値があると思えなければなりません。このことについては後で考えます。

自殺したいという人を止めるのは本当に難しいことですが、それでも、そういう援助はいつもしたいと私は思っています。

哲学人生問答 13

「ありのままの自分」を受け入れることができません。

Q 物心がついた時から、「よく生きる」「内面を磨く」ということを意識してきました。自由にしていたら自分に甘くなったり自己中心的な人間になったりするので、ずっと自分を枠にはめて「こうしなければならない」と思って生きてきました。

特に、この学校に入学したらまわりの人たちがものすごい努力家で、私は自分の好きなようにしたら間違いなく怠惰になるので、もっと自分を枠にはめるようになりました。自己満足かもしれませんが、今は楽しむよりもそういうふうにちゃんとしたほうがいいと思ってそうしています。

しかし最近、それがしんどいと思うことがあります。かといって、「ありのままの自分」を受け入れることもできません。先生がおっしゃっていた「存在しているだけで喜ぶ人がいる」ということも実感できません。どうしたらいいのでしょうか。

（一年生・女子）

A 人間には、「するべきこと」「したいこと」「できること」の三つしかありません。このうち、できることは「できること」だけです。

「こんなふうに怠惰であってはいけない」と思ったとします。「勉強するべきだし、定期試験も近づいているし、こんなふうに何もしないでぼんやりしていてはいけない」と思うのです。そして、勉強をしたくないわけではなく、一方では勉強したいと思っているけれど、現実的には勉強ができないということがあるとします。この時、今できることは「ぼんやりしていること」だけなのです。ぼんやりしていてはいけないでしょうし、ぼんやりしたいと思っていないでしょうが、今できることは「できること」だけなので、ぼんやりしていることを出発点にするしかないのです。その上で、次に何ができるかを考えればいいので、すぐにできないことを自分に無理強いするのは、はしごもかけないで二階の部屋に上っていこうとするような無理がありま す。どんなはしごをどのようにかけるのかを自分で考えたり、決められたりできるようになってほしいと思います。自分の生き方や人生を、何かの規範に当てはめないということです。今すぐに上に行かなくてもいいかもしれませんし、皆とは違うやり方があるかもしれません。

古代ギリシアに次のような話があります。

プロクルステスという盗賊がいました。彼は旅人を捕まえてベッドに寝かせます。その旅人がベッドよりも小さければ足と首を引っ張って体を伸ばしますが、もしもベッドからはみ出てしまったら足を切り落とすのです。

そういう、何かの規範に当てはめた生き方を私は勧めたくはないのです。一度、枠組みから自由になり、「自分はこれからどう生きたいのか」ということを考えるといいでしょう。その時、「自分が今できることは何か」を、まず考えるようにしてください。人生のこの時期、そういうことを考え直してもいいと思います。

生きているだけでいいということが、今となってはわかりにくくなっているでしょう。親は子どもが生まれた時は、とにもかくにも生きていることが嬉しかったのです。親にたずねてみてください。きっとそうだったと答えられるでしょう。子どもは何も特別なことをしなくても、生きているだけで親はありがたいと思えましたし、子ども側からいえば、子どもは生きていることで親に貢献できたのです。

しかし、親はやがて子どもに特別であることを要求するようになります。皆さんの場合であれば、勉強が小さい時からできたので、進学校に入ってほしいと思うようになったのです。一生懸命勉強している人であっても、親の期待に応えるためであったり、勉強することで成功者としての人生を歩むという世間的な常識に従って勉強をしている人が多いかもしれません。そのような人は親の期待という、あるいは世間の常識という型に自分の人生を当てはめようとしているのです。いい成績を取れていて悩むことがない人でも、いつの頃からか思うような成績を取れなくなると、親の期待に添えないと思ったり、成功できないと思い悩むようになるかもしれません。

そんなことが今後起こるとしても、自分の価値は自分が生きていることにあるのだと思い直してほしいのです。

結果を出す勇気を持つ

「勇気」には、二つの意味があります。

一つは、「課題に取り組む勇気」です。皆さんの場合でいうと、勉強に取り組む勇気です。勉強に取り組むのに、なぜ勇気がいるのか。結果が出るからです。評価されるからです。

評価を非常に恐れる人がいますが、それは勉強があまり得意ではないとか、勉強が嫌いだとか、いい成績が取れないという人だけではありません。秀才のほうが、評価されることを恐れるということはよくあります。

私は長年、奈良女子大学で紀元前五世紀のアテナイで使われていた古代ギリシア語を教えていました。私の授業に来られる学生は皆優秀で、中には英語、ドイツ語、フランス語、ラテン語を学び、五ヵ国語目としてギリシア語を勉強するという学生もいました。ただし学生数は多い年で五人、少ない年で一人でした。ですので、授業中はもれなく何回も当たります。練習問題のギリシア語を読み、それを日本語に訳すという非常に古典的な授業でした。今のようにＩＴ機器が普及している時代ではありませんでしたし、そもそも古代ギリシア語はどんなふうに発音されていたかなどもわかりません。音声教材はないわけではありませんが、教室での授業で使う教師はいるとしても少ないでしょう。

ある年、古代ギリシア語を和訳してもらおうとある学生を当てました。すると、その学生が答えないのです。

私は驚いて、「今、あなたを当てたのに答えませんでしたね。あなたは自分が答えなかった理由をわかっていますか」とたずねたところ、「わかっています」と答えが返ってきました。どういうことか聞いてみたら、「当てられた問題に間違えて答え、先生にできない学生だと思われるのがいやだったのです」といったのです。

皆さんは、この学生の気持ちがわかりますか。

難しい言語を学んでいるのですから、間違えて当たり前です。できない学生だと思われるかもしれないなどという恐れを持つ必要はまったくありません。しかし、その学生は、とにかくできない学生だと思われるのがいやだといいますので、私は、間違えて答えたからといって、できない学生だとは思わないと約束しました。すると、ようやく次の授業から間違えるのを恐れず発言するようになりました。

教師の立場でいうと、問題に学生が答えなければ、どこがわかっていないかがわかりません。教え方に問題があるかもしれず、そういう意味でも、学生が間違うことを恐れて答えないと困るのです。できないのであれば、できないという現実を受け入れるしかありません。それが「ありのままの自分」です。そのありのままの自分を受け入れ、次にできることから努力するしかないのですが、そういうことができない人が多くいます。

　模擬試験の結果を自己採点することを恐れる人がいます。考えるまでもなくこれはおかしなことで、何が自分の弱点なのかを見つけるために試験を受けるのですから、採点しなければ意味がありません。その上でできなかった箇所を重点的に勉強するしかないのです。それなのに、模擬試験でいい点数が取れていなさそうだと思ったら、たちまち自己採点すらやらなくなってしまう。本末転倒です。これが、「結果を出すことを恐れる」ということです。

　ちなみに、私が教えていた古代ギリシア語のクラスでは、四月の頭に$\alpha\ \beta\ \gamma$（アルファベータガンマ）とアルファベットから習い始めて、十一月半ばにはプラトンの『ソクラテスの弁明』を原文で読めるようになります。私自身はその実力に到達するまでに三年かかりましたが、彼女たちは半年あまりでそのレベルに達します。何が違うのかといいますと、彼女たちの先生のほうが、私が習った先生よりも優秀だったのです。こんなこともわからないのかというような先生は信じてはいけません。自分の教え方がよくないことを棚に上げ、生徒のせいにしているだけだからです。皆さんの先生の前ではこんなことはあまり大きな声でいえないですね。

　生徒は先生を越えていかなければなりません。皆さんも大人を越えていかなければならないのです。そのためには失敗を恐れず、できないのであれば、できない自分を受け入れましょう。

哲学人生問答 14

教養を身につけようと頑張るほど、心が荒んでいきます。

Q　僕は日本の社会を変えていきたいと思っています。社会を変えるためには、起業して経済を動かしていくことが必要だと思うので、そのために幅広い教養を持とうと頑張って勉強しているつもりです。

でも、頑張れば頑張るほど、自分の心が荒んでいくのも感じています。どの教科も面白いことは面白いのですが、心に訴えるものがありません。高い知識を身につけて運用していくためには、テストの成績もある程度は意識しなければなりませんが、そうするとどんどん心が荒んでいくのです。どうしたらいいのでしょうか。

（一年生・男子）

A　社会を変えたいと思って勉強しているのなら、心は荒まないはずです。大学受験に向けて、結果を出さなければならないのは本当です。また、やがて起業するなどして社会に貢献するためにいろんな知識を身につけたいというのもわかります。

世の中には答えが出ない問いがたくさんあります。そういう問いに対する答えは、自動販売機にコインを入れたらガシャリとジュースが出てくるようには出てきません。そして、そういう問いについてまで考えることが「幅広い教養」です。「教養」はドイツ語ではBildung（ビルドゥング）といいますが、人間形成、人格を形作ることという意味です。今日話していることは、まさに答えがない問いです。今は受験のための勉強も必要ですが、すぐには答えが出ない、それでも、自分の人格を形成することに資する勉強を是非してください。今学校でしている勉強も何かの結果を出すためだけではなくて、勉強をする日々が喜びであると感じられるような勉強にしていかなくてはいけないと思います。

大学に入ったらこれまで勉強してきた英語の他に、フランス語やドイツ語、また、韓国語や中国語など新しい言語を学ぶことになります。新しい言語を勉強しても、すぐに本を自在に読めるようになるわけでも、コミュニケーションが自在にできるようになるわけでもありません。でも、「今日は新しい単語を憶(おぼ)えた」ということに喜びを感じられる心を持てば、心は荒むことはありません。私は今は韓国語と中国語の勉強をしていますが、私が話したことが伝わったり、原文で本を読めることに喜びを感じます。

今の皆さんも同じです。新しいことを日々学ぶことは喜びだと思いませんか。たしかに勉強を続けていくと、英語を学び始めた頃のように日に日に力がついていくという実感を持てなくなります。一生懸命勉強しても、昨日よりも英語を読めるようになったとは思えません。それでも、今も毎日知らなかったことを知る喜びを感じられれば心が荒むことはありません。

勉強は「頑張らなければいけないもの」と、誤解している人がいるかもしれません。もちろん頑張らなくてもいい勉強などありませんが、鉢巻きをして歯を食いしばって勉強するというのは、大人が皆さんに押しつけてきた一つのイメージでしかないのです。勉強は面白いと思っている人は、勉強をやめろといわれてもやめません。時間を忘れて、寝食を忘れて勉強します。あなたはまだそういう勉強に出会っていないのではないでしょうか。今は我慢してつらくても勉強するしかないと思っているとしたら、勉強に対する姿勢が間違っていると思います。

余裕ができたら、答えが出ない問いを考えてみてください。今、余裕といいましたが、「学校」、schoolの語源を知っていますか？　ギリシア語のschole（スコレー）、「暇」という意味です。暇のない学校は本来ありえないということです。本当は余裕があろうとなかろうと、今、答えが出ない問いにぶつかったことがないというのも困ったことだと思うのですが。

この頃は働いている人に、すぐに答えの出るような自己啓発の本ばかり読んでいては駄目だという話をしています。哲学の本を是非読んでください。今は受験勉強をしないといけないので読まないほうがいいというようなことは、私はいいたくはないのでいいません。

哲学人生問答15

Q

答えのない問いに触れるにはどうしたらいいのでしょうか。

先生が話されているような「答えのない問い」について、今現在触れたいです。学校は、そういう問いを提供する場ではないように思います。

（二年生・男子）

A 「今」触れたいという人がいて嬉しいです。たしかに、今の学校は答えの出ない問いを提供していないように思います。しかし、そのような問いと出会うこと、触れることがまったくできないわけではありません。答えの出ないような問いについて教えてくれる先生との出会いはあります。自分でそんな先生に出会えるようにアンテナを張り巡らせておかなければなりませんが。

私の場合は、洛南高校時代の倫理社会の先生がそうでした。授業中に古代ギリシア語を教えてもらいました。教科書に「我はアルファなり、オメガなり」という、新約聖書の『ヨハネ黙示録』にある言葉が書いてありました。その言葉の意味を教えるために、先生はギリシア語のアルファベットの読み方を書いたプリントと、「初めに言葉があった」で始まる『ヨハネ福音書』の冒頭の一節を記したプリントを配られました。それが私の古代ギリシア語との最初の出会いでした。

私は先生の授業を聞くためにだけ学校に通っているといってもいいくらい、先生から教わることをすべて吸収しようと思っていましたが、当時、受験には直接関係がない先生の授業に多くの同級生は関心を示しませんでした。先生の授業を一生懸命聞いていたのは、先ほど話した、後にタイでジャーナリストとして活躍した私の唯一の友人と、私の二人だけでした。三年生の秋くらいになって、ようやくその先生が話していることは面白いと気づく仲間が出てきましたが、その時にはもう残された時間はあまりありませんでした。

あの時期にそういう先生に出会えたことは、非常に幸せだったと思いますが、受験勉強をすべきだと思っている担任の先生は、母にこういいました。

「哲学の本を読ませないでください」

教師からそういわれると、子どもの行動に反対する親は多いかもしれませんが、母は怯まない人でした。後に私が「哲学を勉強する」といった時に、父は「哲学など勉強しても、将来的に成功しない」といい、そのことを母から私にいわせようとしました。母は担任の先生の時と同様、怯むことなく父にこういいました。

「あの子のしていることはすべて正しい。だから私たちは見守りましょう」

もちろん、私がしていることがすべて正しいはずはなかったのですが、おかげで私は、無事に哲学を勉強することができたのです。それくらい、ありのままの自分に対して「よし」といってくれる大人は少ないのです。ですが、そういう人が皆無だとは思いません。そういう人との出会いは大事ですから、是非探してみてください。

人に出会えなくても、本を読めば、直接ではありませんが本の著者と出会うことができますから、本も努めてたくさん読んでください。

ありのままの自分を認めてくれる大人と、どうすれば出会えますか。

Q 先生がおっしゃるような、ありのままの自分について「よし」といってくれる大人の探し方を教えてください。（二年生・男子）

A そういう人を探すには、まず自分が特別でなくてもこの自分でいいと少しでも思えなければなりません。そうすると、あなたのまわりにもあなたをそのように見ている人がおられることに気づくでしょう。自分が意識していないと、そういう人と出会っても気づかないかもしれません。

私の場合は、母がありのままの自分を認め受け入れてくれる人でした。そのことに気づいたのは、母が若くして亡くなってからでした。

対人関係以外の悩みはない

「課題に取り組む勇気」と並ぶもう一つの勇気とは、「対人関係の中に入っていく勇気」です。なぜ対人関係の中に入っていくのに勇気がいるのかというと、人と関われば必ずといっていいくらい摩擦が起きるからです。

例えば、今日のような授業だと、私の話を聞きたいと希望した人だけが集まっています。ですから、熱心に聞いてもらえるだろうと思って安心して話ができますが、聞きたくないけれど聞かなければいけないからきたという人が多く集まる講演や講義もあります。会社の研修や大学の必修の講義では、聞きたくなくても出てこないといけませんし、学生であれば単位を取れません。そのような聞きたいわけではないけれど仕方なく聞きにきた人たちの前で話すと、ほんの数分で深いトランス状態に入ってしまう人がいます。話をするのをやめたくなることもあります。以前、看護学校で教えていた時も、私の授業内容が国家試験に出ないからか、私の目の前で堂々と試験の過去問題集を解いていた生徒もいました。このように、「やっていられない」と思うことはいくらでもあります。

今話したことはあまり一般的でないかもしれませんが、人と関わる時、皆がいい人とは限りませんし、そうなると精神的に疲れ果ててしまうということはあります。世の中は、いい人ばかりではありません。いやな人もいます。そういう人たちと関わって嫌われたり、憎まれたり、裏切られたりというような経験を避けることはできません。

アドラーは、このようなことを念頭においてでしょう、「あらゆる悩みは対人関係の悩みである」といっています。対人関係は悩みや不幸の源泉であり、対人関係以外の悩みはないといっても、過言ではないのです。

哲学人生問答 17

人に嫌われないように生きていると、本当に幸福になれないでしょうか。

Q 私は今幸せですが、人に嫌われないように生きています。人に合わせながら生きるということを、否定的な意味ではなく、むしろ自分としてはそれでいいと肯定的に思ってやってきました。相手によっていい顔をするとか、相手に忠誠を誓うとかそういうことではなく、自分を消すことで人に嫌われないようにしています。

私はそれでも幸福になれるのではないかと思いますが、こういう生き方ではこれから先、壁にぶち当たってしまうでしょうか。「人にどう思われようが気にしない」ということは、本当に必要なのでしょうか。

(二年生・男子)


A 必要です。今はつまずいていなくても、将来的につまずくことはありえます。

自分を消し、自分がいいたいことがあってもいわず、したいことがあってもしなければ、自分の人生なのに自分の人生を生きていないことになります。

あなたはそうはされていないということですが、皆にいい顔をしている人はやがて信用されなくなります。ある人に「あなただけよ」といって忠誠を誓ったとします。でもある日、その人だけでなく他の人にも同じことをいっていたことが発覚したら、先にも話しましたが「あいつは皆にいい顔をして忠誠を誓っている」と思われて、信用を失ってしまうのです。

日本の政治家には、そういう人がたくさんいます。「最後まで態度を決定しない」政治家などが、これに当たります。総裁選挙でどちらかを支持しないといけないのに、最後の最後まで態度表明を避けるわけです。なぜなら、Aさんを支持すると、Bさんを支持する人から反発されてしまうからです。そういう人は結局、信用されません。もちろん、「今日は何を食べに行こうか」というような話であれば、人に合わせてもいいでしょう。中華料理でもイタリア料理でも何でもいいと思います。そういうことについては私も固執しませんし、「あなたが行きたい店に行きましょう」と答えてもいいのです。

しかし、これからいつか人生の重大な決断をしなければならない時がきます。そういう時にも自分の本心をいわないで人に合わせますか？　自分がしたいことがあるのに、それをいわないで人に合わせるのは問題だと思います。後になって、「あの時本当は私はしたくなかった」というのは、率直にいってずるいです。

「これまで人に合わせてきたので自分はできる」と思われるかもしれませんが、人の信用を失うことになるということを是非知っておいてください。

哲学人生問答18

嫌いな人との付き合いを避けられない時はどうすればいいですか。

Q 自分はこれまで、どうしても嫌いな人がいる場合、その人とは付き合わなければいいと思って避けてきました。どうしても避けては通れない場合、その嫌いな人と付き合うストレスを最小限にする方法を教えてください。（一年生・男子）

A 十人いたら一人くらいは、どうしても好きになれない人がいます。何をしてもあなたが大嫌いな人は、きっとあなたのことを嫌っています。嫌いという感情が起きるのは関係が近いからです。あまり関心がない人であれば、嫌いという感情も起きないでしょう。

少し話が逸（そ）れますが、好きな人に告白して「あなたなんか大嫌い」といわれたら脈があるといえます。嫌いと思うほど関係が深く、近いからということだからです。嫌いも何も何とも思ってないといわれたら望み薄ですが。

十人のうち二人は反対にあなたが好きな人で、その人たちもあなたが何をしても好意的に受け止めてくれます。あとの七人はその時々で態度を変える人です。嫌いではありませんが、特に親しいわけでもありません。付き合うのであれば、自分に好意的な二人の人であって、日和見な態度を取る人でも、大嫌いな人でもありません。

話を戻すと、十人のうちの一人と付き合わなくてもいいのであれば、付き合わないのが最善です。しかし、生きていれば付き合うことを避けられない場合があります。例えば、仕事仲間に気の合わない人がいても、同じプロジェクトチームの一員として仕事をしているだけであって、その人と友だちになる必要はありません。一日の仕事が終わったら、きれいさっぱりその人のことは忘れてしまう。友だちとしてではなく、仕事仲間として付き合えばいいのです。

ただ仕事というのは、仕事さえできればよくて、一緒に仕事をしている人が有能でさえあればどんな人であっても関係ないというわけにはいきません。この人となら一緒に仕事をしたいと思えると仕事は楽しいものです。このように感じて仕事をする時は、もはや仕事仲間ではなく友だちであるといっていいのです。皆さんもクラスの仲間をライバルだとは思っていないでしょう？　それと同じです。

かつて、ある塾で先生が生徒を殺害するという悲しい事件がありました。私はショックを受けたのですが、それ以上にショックだったのは、殺された生徒と一緒に勉強していた生徒が、「これでライバルが一人減った」といったことでした。

私は皆さんに、そういう人になってほしくないです。同じ教室で受験勉強をして競っているからといって、仲間だ、友だちだと思ってはいけない理由はありません。ライバルはいてもいいですが、競う必要はないのです。

勉強や仕事の場面では、このように友人関係になることが望ましいのですが、関わる人がどうしても好きになれない十人のうちの一人であるならば、深入りしないことはできないわけではありません。

問題は、それが家族である場合です。友だち関係や仕事関係なら、ある程度距離を置いて付き合うことができますが、家族だとそうはいきません。絶対顔も合わせたくない人が親だったりすると困ります。皆さんの中にも、そういう経験をしている人がいるかもしれません。家族であれば、付き合わないという選択はできない難しさがあります。そういう場合は、向き合うしかないです。親と真剣に向き合い、自分の意見をきちんと伝えていくしかありません。

そうではなく、さしあたって深く付き合う必要がないのであれば、付き合いを最小限に留めておくというのは、決して間違った選択だとは思いません。

哲学人生問答 19

無理をしてでも、嫌いな相手を好きになる必要がありますか。

Q

相手のことが嫌いだったら、そういう自分の気持ちを曲げて、無理をしてでもその人のことを好きになる努力をする必要はないのでしょうか。

（一年生・男子）

A

あえて好きになる必要はないと思います。

でも、もしもあなたが「この人と仲よくなりたい」と願い、仲よくなろうと決断して行動を変えてみたら、相手との関係はそれに伴って変わらざるをえないということはあります。昨日まで顔も合わせたくなかったけれども、今日は態度や行動をちょっと変えて、にこやかに「おはよう」と挨拶してみよう。これくらいなら、無理矢理自分を変えるというほどのことでもないでしょう。そうやって行動を変えることで、相手が自分の中でそれほど大きな比重を占めていないことに気づけば、対人関係のあり方も変わってくるはずです。そうやって気づいて、決心して行動を変えれば、相手の自分への感じ方も変わってきます。

あなたに「あの人、すごくいやだな」と思う人がいたら、相手もまた同じことを考えていると思って間違いありません。「自分はいやだけれども相手は自分のことがすごく好き」ということは、まずありません。相手の感情にとらわれず普通に接していこうとしたら、相手もきっと変わってくるでしょう。だから、無理に相手のことを好きになろうとしたり、感じ方を変えたりする必要はないと思います。その人のことを考えるだけで頭がクラクラしてきてどうしていいかわからない、人生真っ暗だというほど嫌いな場合は、行動を変えようなどと考える必要はありません。

とはいえ、先の質問の時にも話そうかと思ったのですが、どうしても嫌いな人は、屈折したやり方ではありますが、あなたとの関わりを求めているともいえます。関心がない人であれば、何とも思わないはずです。嫌われるという形でも相手の心の中に自分の居場所を求めようとする人であれば、付き合いを最小限にするというのも一つの方法ですが、この人は私と関わりたいと思っていることを受け入れてみて、こちらもこの人は嫌いと身構えず普通に接することができれば、関係が違ってくるかもしれません。

哲学人生問答 20

いじってくる相手との距離の取り方がわかりません。

Q 自分に対して悪影響のある人や、故意に悪いことをしてくる人に対しては、無理に関係を続けなくても一線を引いてきっぱり距離を置くということもありだと思いますが、いじってくる程度の相手には、どう接したらよいでしょうか。

自分としては、これまで友だちにいじられても、大体笑って流し、怒ることはしてきませんでした。それを続けていたら、中学生の時、「友だちからいじめられている」とまわりが見るようになってしまったことがあります。この時は指導部長や副校長が出てくるなど、大事（おおごと）になってしまいました。

私としては、いじりがエスカレートしていっても、そういう人からも得られるものはあると思うので、距離を置こうとはあまり思わないのです。ですが、傷つく面も少なからずあります。

いじってくる相手との距離はどう取ればいいのか、教えてください。（一年生・男子）

A 自分は相手の思いどおりにならないと知ってもらうことは必要です。あるケースを例に考えてみましょう。

そのいじめられている彼は、普段はいじめられるままで、一切抵抗しませんでした。彼の相談に乗ったカウンセラーは、このままではいけないと考え、ある提案をしました。

「いじめられそうになったら、職員室に駆け込み、いじめられていることを先生に訴えなさい」

ところが、彼はその提案を拒否しました。そこで、カウンセラーはもう一つ提案しました。

「それなら、その場で倒れ伏して大声で泣きなさい」

彼は、それならやるといい、倒れ伏して泣く練習を始めました。初めは泣き声にまったく迫力がなかったのですが、二時間かけて練習したら、迫真の演技ができるようになりました。

翌日、いじめる同級生たちがやってきて、いつものように彼をいじめ始めました。昨日まではいじめられっぱなしだったのですが、前日に練習したとおり、彼はその場に倒れ伏して大声で泣きました。いつものようにいじめようとしたのに彼の様子に怯み、以後いじめはぴたりと収まりました。

これがあなたの場合と同じだといっているわけではありませんし、泣くことを奨励しているわけでもありません。なされるままでいてはいけないといいたいのです。

もう一つ考えなければならないのは、いじめたり差別したりいじってくる人の心理的な目的です。アドラーは「価値低減傾向」という言葉を使っています。自分には価値がないと思っている人が、他の人の価値を貶(おとし)めることで、相対的に自分の価値を高めようとすることです。それがいじめであり、差別です。いじめや差別をする人は、自分に価値があると思えない人です。今の世の中は特別であることを求めます。ところが、特別であることができないと思った人が、このようなことをすることでしか自分に価値があると思えずにするのがいじめなので、誰もが普通であれば価値があると思えるようにならなければいじめや差別が根絶されることはないと考えています。

現状では知ってほしいのは、アドラーがいう価値低減のターゲットにあなたがなる必要はなく、傷つく必要もないということです。傷ついてまで近づかなくてもいいと思います。

幸福も対人関係の中でしか得られない

「すべての悩みは対人関係から生まれる」と話しましたが、生きる喜びや幸せもまた、対人関係の中からしか得ることができません。人は一人では生きることができないからです。

皆さんはやがて好きな人と出会い、その人と結婚することになるかもしれません。今はまだそういうことは考えられないかもしれませんが、大学生になったら、将来一緒に生きていきたいと思う人に出会うことがあるでしょう。会ってすぐに結婚しようと思う人もいますが、普通はしばらく付き合います。その後、なぜ付き合った彼や彼女と「結婚しよう」という意思を固めることができるのでしょうか。「この人とならば絶対に幸せになれる」と確信するからです。そうでなければ結婚する決心はできないでしょう。たとえ数年後にその決心が大きな誤りだったと気づいて、「この人と結婚しなければよかった」と後悔することになったとしても、結婚を決めた時点では、そうは思っていないはずです。

私には、結婚した娘がいます。娘は「結婚してもいいことしかない」というのです。「結婚してもいいことなんかない」というのが普通の言い方でしょうが、娘がいいたいことはよくわかります。結婚したことを喜んでいることを知って嬉しく思ったものです。

対人関係は悩みの源泉ではありますが、生きる喜びや幸福の源泉でもあるということです。だからこそ、幸福になるためには対人関係の中に入っていく勇気を持たなければなりませんし、そのためには、自分に価値があると思えなければなりません。

「自分には価値がない」と思う時のメカニズム

時として私たちは、人からひどいことをいわれることがあります。例えば、好きな人に「好きだ」と告白しても「あなたのことを異性として意識したことがない」とか、「お友だちから始めましょう」などと婉曲に断られるというようなことです。そういうことをいわれて傷つくくらいだったら好きな人がいても何もいわないでおこうと決心する人がいても、おかしくありません。

しかし、そうすると告白しない理由が必要になってきます。それが「自分には価値がない」と思うことです。「自分に価値がないから告白しない」のではなくて、「告白しないためには自分に価値があると思ってはいけない」というのが、本当です。「自分が自分自身のことも好きになれないのに、どうして他の人が自分のことを好きになってくれるだろうか」と考えて、告白する前に諦めてしまうのです。

しかし、告白して実際どうなるかは誰にもわかりません。結婚している人がいるということは、皆が皆傷つくことを恐れて告白しなかったわけではないということです。幸福になるためには、嫌われるとか断られるとか決めつけず、対人関係の中に入っていく勇気を持ってほしいです。

短所を長所に置き換える

対人関係の中に入っていく勇気を持てるようになるには、自分に価値があると思えなければなりません。そのためには、方法が二つあります。

一つ目は、「自分が短所や欠点と思っていることを長所に置き換える」という方法です。

短所や欠点を指摘することは、たやすいことです。カウンセリングには子ども本人がくることはあまりないのですが、親、特に母親が子どものことについて相談にこられることはよくあります。母親は、自分の子どもの短所や欠点ばかり訴えます。十五分くらい経った時に、短所や欠点はよくわかったと、矢継ぎ早に話す親の話を止めます。それでも親は、まだまだあると話し続けようとすることがあります。そういう親に、「子どもさんの短所や欠点はわかりました。子どもさんの長所は何ですか」とたずねると、それまで機関銃のように話していた母親の口がピタリと閉ざされて、何も出てきません。いくら考えても、自分の子どもの長所についての言葉は出てこないのです。

カウンセリングする側からいうと、この親は子どもの短所や欠点しか見ていないという一点さえわかればいいので、親が子どものどういうところを短所や欠点だと見ているかはあまり大きな問題ではありません。子どもの短所や欠点しか見ていないことに気づいてもらわないといけません。

子どもの側からいえば、子どもは親に短所や欠点に思えるようなところを見せることで、ようやく親の注目を得られると考えているのです。ですから、親が困ることを一番困るタイミングでするのです。そこで私は、カウンセリングにこられた母親と一緒に、子どもの長所を見ていく練習をします。

短所を長所に置き換える❶

「集中力の欠如」＝「散漫力がある」

「短所や欠点を長所に換える」ということは、自分自身の問題で考えることもできます。

例えば、「うちの子どもには集中力がない」という親には、集中力がないのではなく、散漫力があるといいます。自分には集中力がないと思っている人が、皆さんの中にもいるかもしれません。そういう人は「散漫力がある」のです。静かな部屋で一人でしか勉強できない、仕事ができないというのでは、今の世の中通用しません。電車の中のような騒がしいところでも本を読めるのは、集中力があるというよりは散漫力があるからです。娘が大学生の時、テレビを見ながらイヤホンで音楽を聴き、ラインでひっきりなしに友だちとやりとりをして、なおかつ親ともしゃべっていました。ここまで同時にさまざまなことをやり遂げられるというのは、才能といえます。自分には集中力がないと思う人は、散漫力があると思ってほしいですし、親にも、子どもは集中力がないのではなく散漫力があると思ってほしいです。

「分散力がある」といってもいいでしょう。学校の授業でも朝から晩まで英語だけとか数学だけだったら耐えられないでしょう。家で勉強をする時はどんなふうにしていますか。私はいつも十冊くらいの本を同時進行で読んでいます。少し読んで疲れたら、次の本に移るのです。原稿も何本も同時に書いています。

昔教えていた学生が右手と左手で同時に書くのを見て驚いたことがあります。何かを写していたのではなく、違う内容の文章を同時に書いていたのです。子どもは集中力がないと思っている親が子どもには散漫力、分散力があると見られるようになれば、親子関係のあり方も変わってくるでしょう。

短所を長所に置き換える❷

「飽きっぽい」＝「決断力がある」

「我が子は飽きっぽい」と訴える親も多いです。これを長所に置き換えてみます。飽きっぽいのではなく、「好奇心がある」といってもいいのですが、私なら「決断力がある」と言い換えます。今、自分がしていることが自分に向いていないとわかった時に、今やっていることをやめる力があるという意味です。高い本を買って読み始めたものの、この本は私に向いていないと思った時には、その本を閉じる勇気を持たなければならないのです。そうしなければ、時間の無駄になります。

長年ずっと同じことをやっていると、それまでに費やしたエネルギー、時間、お金が膨大なものになるので、これまでしてきたこととは違うことをしてみようと思っても、進路を変えることは難しくなります。しかし、自分の人生を生きなければ生きる意味はありません。これまでどれだけ長い間やってきたことでも、他にしたいことがある時、少なくとも、もはやこれはやり続けられないと思った時に、これまでとは違う人生を生きる勇気を持たないといけないと思います。

私は五十歳の時に心筋梗塞で倒れ、病院に入院しました。翌年は冠動脈のバイパス手術も受けました。心臓を止め心肺装置につないでの大手術でした。今の医療は早期離床が常識なので、術後三日目にはもう歩かされました。心臓リハビリというのですが、病院の中を看護師さんと一緒に歩くトレーニングを始めたのです。この時私の担当だった看護師さんの一人はその年、学校を終えて病院に就職したということだったのですが、見たところ若くはありませんでした。話を聞くと、彼は京大の大学院を出てから「看護師になりたい」と思って勉強し直したというのです。しかも災害看護に関心があったので、赤十字病院に入ろうと思ったのでした。一緒に歩いている時に彼は、熱心に赤十字の精神などについて私に語ってくれました。

私が、彼が看護師になるという選択をした時親は何かいったのではないかと思ってたずねたら、彼は、「はい、親は泣きました」と答えました。大学院を出てから看護師になるということを、親は理解できなかったのかもしれません。しっかりとした考えを持って子どもが新しい人生を歩む決心をした時、親は止めることはできなかったのでしょうが、彼は「飽きっぽい」のではなく「決断力があった」のです。

飽きっぽいのではなく決断力があるという話を講演の最初のほうで話すと、私の話は今の自分には関係がないと考えて決断力を働かせて帰っていく人がときどきおられるので、最初からはいわないようにしています。今日は、こんな決断力を持たないでくださると嬉しいです。

短所を長所に置き換える❸

「暗い」＝「優しい」

カウンセリングには、自分のことを「暗い」と思っている人がこられることが多いです。最近の若い人も「暗い」とか「根暗」という言い方をするのかと思って、学生に聞いたところ、今はそんな言い方はしない、「病んでる」というのだと教えてくれました。

「あなたは病んでますね」といわれたら、嬉しくはないでしょうね。自分のことを「暗い」とか「病んでる」と考える人に、私は、こんな話をします。

「あなたは自分のいっていることやしていることが、他の人にどう受けとめられるかということを絶えず意識できる人ではないですか。少なくとも、故意に人を傷つけたことはないのではありませんか」

すると、ほとんどの人が同意します。「故意に」という言葉を付け加えなければならないのは、自分では意図していなくても人を傷つけることはあるからです。そこで、私は続けてこういいます。

「あなたは自分のことを暗いといいますが、暗いのではなく『優しい』のです」

「自分は故意に人を傷つけたことはない」と思ったら、そんな自分に価値があると思え、そういう自分を受け入れられるようになります。

もちろん、これは程度問題で、人の気持ちばかり考えて、いわなければならないこともいえないというのは問題ですが、それくらい配慮ができている人には、人から嫌われることを恐れないという意味で、嫌われる勇気を持とうといって、ちょうどいいくらいなのです。もともと嫌われている人に、「嫌われる勇気を持ちなさい」などといおうものなら、大変なことになるでしょうね。学校の先生には、生徒に何をいわれようが、いうべきことはいわなければならないと考える人がいますが、そういう話ではないのです。

貢献感を持つ

自分に価値があると思えるためには、もう一つの方法があります。「自分は役立たずではなくて誰かの役に立てている」「自分は何らかの仕方で他者に貢献している」

と感じられることです。

皆さんは才能があるので、進学校であるこの学校に入学されたのだと思います。だからこそ私は、そういう自分の才能を他者のために使い、他者に貢献してほしいのです。とりあえず京大や東大に行けばいいと、偏差値だけで将来の進路を決めるというような愚かな選択をしてはいけません。人は自分のためだけに勉強しているのではないと思った時に頑張れるのであって、自分のことにしか関心がない人は、苦しければすぐに勉強をやめてしまいます。あるいは、今はとにかく苦しくても我慢するのだと思う人もいるでしょうが、他の人に貢献するために勉強をしていると思えなければ、勉強を続けることは難しいのです。

才能のある人は行為で貢献してほしいと思いますが、今の世の中はあまりに生産性にのみ価値を求める時代になってしまっています。何度も話していますが、これは非常に大きな問題だと、私は思っています。

哲学人生問答 21

他者貢献したいのは、自分が認められたいからではないでしょうか。

Q 人間関係に興味があり、人と積極的に関わってきました。将来は困っている人を助けたり貢献したりすることをしたいと思っています。ですが、自分はなぜ人に貢献したいのかと聞かれると、わからないのです。相手の人が困っているから貢献したいと思っているつもりですが、本音では、自分が認められたいからではないかという恐ろしい考えが浮かんでしまいました。改めて、貢献するとはどういうことなのか教えてください。

（一年生・男子）

A 困っている人を助ける仕事や、人に貢献する仕事に就きたいという若い人は多いですし、私も若い人には是非、人のためになる仕事をしてほしいと思っています。

長年、大学病院に勤めていたある医師が、独立して内科の医院を開業しました。ところが誰も患者さんがこなくて、結局、廃業したという話を聞いたことがあります。開業する前にも大学病院などで働いていたので開業して初めて気がついたはずはありませんが、患者と接しないといけないことに困惑したということでした。たしかに診察中、パソコンの画面ばかり見ていて、検査データについては細かく説明するけれども、患者さんの目を見て話さない医師はいます。そんな医師でも勤務医であれば、そのことで仕事を失うことはないでしょうが、開業するとたちまち患者の評判が悪くなります。

そういう意味では、他者に関心があって、他者に貢献するためにその職業を選ぶということは大事なことです。どんな職業であっても、その視点を欠いてはいけないと思います。

しかし、他者に貢献している自分を過剰に意識するのは問題です。『嫌われる勇気』の次に刊行した『幸せになる勇気』という本に書いたのですが、「メサイヤ・コンプレックス」という言葉があります。「メサイヤ」とは「救世主」という意味で、「メサイヤ・コンプレックス」とは、他者に貢献している自分に酔いしれることをいいます。自分が仕事をすることが他者貢献になると考えることは大事ですが、「他者に貢献することは自分にとっての満足」というような考え方をしないことが大事です。人の役に立っているのだけれど、そのことに少しも気づいていないような貢献の仕方をするのが最善です。自分が貢献したことに意識を向けないということです。

また、他者貢献とは決して自己犠牲ではありません。これはきちんと区別しておかないといけません。他者貢献というと、自分を犠牲にしてでも人の役に立つことをいうと思う人もいるかもしれませんが、そういうことではないのです。

例えば、人が線路に転落してしまい、そこに電車が近づいてきました。その現場にいる時に、「自分の命の危険を顧みず線路に飛び込んで、転落した人を助け出せ」といっていいかどうか、ということです。実際にそうする人はいますし、そういう行為を否定するつもりはありませんが、これは自己犠牲的な行動です。まかり間違えば自分の命を失うことになるかもしれません。少なくともそういう行為を他の人に勧めることはできません。「そのような時はあなたも線路に飛び込みなさい」とはいえないのです。

こういう自己犠牲的な行為をすることと、他者貢献とは違います。他者貢献は回りまわって、結局のところ自分に戻ってくるものです。人は、互いに補い合って、最終的には自分に何かが返ってきます。だから、仕事をする時に喜びを感じることができます。そういう意味で他者貢献は自分のためでもあるのです。

哲学人生問答 22

自分の才能を他者のために使うには、体験が必要でしょうか。

Q 自分の才能を他者に生かす方法を見つけるために、経験は必要でしょうか。誰かに感謝するとか、あの人はすごいなと憧れるといったような体験も必要ですか。体験などは不要なものではないのでしょうか。

（一年生・男子）

A 誰かに感謝したり、「あの人はすごい」と思えたりするような人との出会いがあることは、その人にとって非常に幸福なことだと思います。この洛南高校での倫理社会の先生との出会いが、私にとってそれにあたります。その先生から多くのことを教えてもらいましたが、その先生の生きざまを見ることで、より多くのことを学びました。そういう意味では、誰かと出会い、その人から学ぶという体験は必要かもしれません。

しかし、現実の体験でなくてもいいと思います。本を読むことでもいいのです。教科書と参考書しか読まないということでは駄目ですけれども。自分自身がこの人生で経験することは限られていますから、本を読むことで、こんな人生があるのだと知ることで、生き方が変わるということはあります。

私がいつも声を大にしていうのは、「自分のことしか考えないエリートは、有害以外の何物でもない」ということです。皆さんはそうあってはいけません。自分のことしか考えられない人、自分さえよければいいと思っている人は他の人に関心がないのです。

でも、一人で生きている人はいないのです。他の人たちに生かされていると思える人は、何かの役に立てることがあるのなら役立ってみようと思うのです。もちろん勉強することは他の人の役に立てます。

「他者貢献」と「生産性」は関係ない

なぜ生産性に価値を求めてはいけないのか。

高齢者や障害をお持ちの方、あるいは病気の方などが何もできないからといって価値がないのかといえば、もちろんそうではありません。

ある診療所で非常勤で働いていたことがありました。私が行っていた日はみんなで料理を作りました。これはデイケアといって、料理を作ることで社会復帰の援助をするプログラムです。六十人くらいの患者さんたちの中で一緒に買い物に行く人は五人くらい、一緒に料理を作るのはやっと十五人くらいです。昼時まで皆で手分けして料理を作ります。「さあできました、食べましょう」というと、診療所の中のどこからともなく患者さんたちが出てこられて、皆で食事をします。

ですが、その診療所では誰一人、その日働かなかった人を責めません。そこには暗黙の了解があるからです。それは、「今日は元気だったから手伝えたけれど、もし明日元気がなくて手伝えなかったらごめん」というもので、これが大前提になっています。

これは健全な社会の縮図です。その日料理を作らない人がいても、「働かざる者食うべからず」などとは誰もいわないのです。ところが、今の社会では高齢、病気、障害などの理由で働けない人、また引きこもっている人は生産性の観点から価値がないと考える人もいます。

何かができてもできなくても、人の価値にはまったく関係がないのです。人の価値は生きていることにあるとわかっている人は、他者に対しても寛容になれるのです。

哲学人生問答 23

自分だけが労力を提供するのは損だと思ってしまいます。

Q 診療所の料理の話ですが、私はどうしても買い物をしたり料理を作ったりした人が損をしていると思えて仕方がありません。私がひねくれているからそう思うのだと思いますが、こういう考えはどうしたら直るのでしょうか。私の器が小さいだけなのでしょうか。（二年生・女子）

A ほとんどの人は、なぜ自分だけが買い物をしたり料理を作ったりして、他の人はやらないのか不満に思います。

あなたは家事を手伝いますか？（質問者の生徒、首を振る）

そうはっきり首を振られると話が続かないのですが、料理を作るというのはまだいいかもしれません。料理を作るのは好きだという人は結構おられますから。後片付けはどうでしょうか。後片付けは大変ですが、食べる人はあまり後片付けをしないように思います。たいていの家庭では、母親だけが後片付けをしているのではないでしょうか。

その母親は、なぜ、他の家族は後片付けをしてくれないのだろうと考えます。他の家族は、食事を終えたらソファに寝そべり、テレビを見て歓声を上げたりしています。「なぜ私だけがこんなことしないといけないのか」そう考えて、いやだいやだというオーラを漂わせながら食器などを洗っていたら、他の家族は手伝ってくれないでしょう。

そういう時には、自分の考え方を変えてみます。自分が食器を洗うという営みは、他者に、この場合でいうと家族に、貢献する行為であると考えるのです。家族への貢献感を持てる、貢献感が持てたら自分に価値があると思える、自分に価値があると思えたら対人関係の中に入っていく勇気が持てる、対人関係の中に入っていく勇気が持てたら幸せになれる。そう考えてみるのです。自分一人がこんな価値あることをしていてもいいのかと、鼻歌交じりに楽しそうに食器を洗っていたら、その楽しそうな様子を見た他の家族は、「そんなに楽しいことだったら私も手伝おうか」といってくれるかもしれませんし、いってくれないかもしれませんし、たぶんいってくれないでしょう。

でも、誰からも何もいってもらえなくてもかまわない。貢献感を持てる人は、そういうふうに割り切れるのです。他者がそれを認めるとか認めないとかに関係なく、自分がここですべきこと、率先してしたいことを、他の人の役に立てるならやってみようと思えるはずです。そういうふうに思えた時に、あなたがおっしゃっているひねくれた感情や考え方から脱出できるのです。是非一度実践してみてください。実践したことがない人にはわからないと思います。「今日は私が後片付けするわ」といってみるのです。その時、どんな感情や感覚を持つか、自分自身を観察しておきます。そういうところから始めてみてはどうでしょうか。

おそらく、皆さんはこれまで家庭の中で特権的な位置を占めてきて、勉強さえしていればよく、料理を作ったり後片付けをしたりすることは、免除されてきた人も多いのではないかと思います。私はよく親から、「うちの子は今年受験ですが、どういう気遣いや配慮をしたらいいのでしょうか」と聞かれます。「これまでのように大きな音量でテレビを見ては駄目でしょうか」とか、「声を潜めて子どもの気が散らないようにすべきでしょうか」などという親は多いのです。そういう時、私は、「勉強する環境を整えるのは子どもの課題なので、親が気を遣う必要はまったくありません。家事も子どもにこれまでどおりやってもらってください」といいます。

ある時、電車に乗ろうとしたら、ホームに中学受験を目指しているらしい小学生がいました。電車ですから、当然、ドアが開くと、降りる人が先に降りてから乗客は乗り込むことになります。ところが、その小学生はいきなり乗り込もうとしました。彼はこれから塾に行って宿題もしなければならないから、席を確保したかったのでしょう。ですが、私は体を張って阻止しました。

自己中心的に生きてきた人は、他者貢献などできません。どうしても損得を軸に考えてしまうからです。そもそも、家事をするくらいで成績が下がるようでは駄目です。こういったことは一朝一夕に変えられることではありませんが、家庭の中でできることは何かないかと思い、今日からやってもいいかなというくらいの覚悟で実践してみると、考え方を変えられるかもしれません。

哲学人生問答 24

自分の人生を生きることと、他者貢献の割合がわかりません。

Q 私はこれまで自分とばかり向き合って生きてきて、「人に対して」という視点はありませんでした。そのおかげで人に流されることはほとんどないのですが、一方で人に対して優しくない面があることに気づきました。不条理が許せないのです。対人関係も見直してみたら、駄目な部分がいっぱいありました。「自分の人生を生きる」ということと「他者貢献」の割合、「自分の魂を磨く」ことと「いい人になる」ということのバランスがよくわかりません。（二年生・女子）

A 自分が幸福になることが他者に貢献することになります。他者に貢献することは自分を犠牲にすることではありません。他者に合わせて、他者のために自分を犠牲にするという生き方をやめましょう。自分が幸福にならないといけないのです。自分が幸福になれば、その幸福は必ず他者に伝染します。自分を大事にするとい

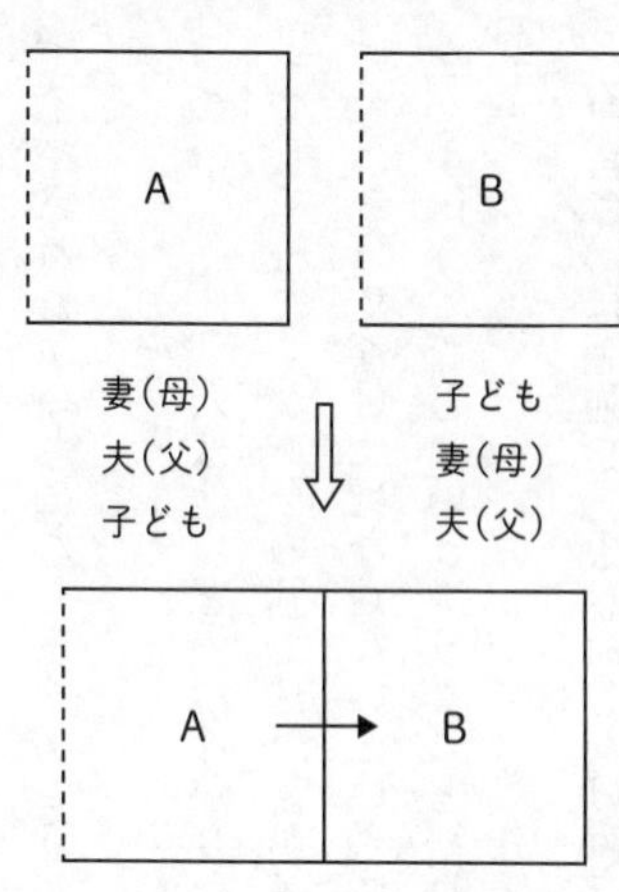

うことは重要なことです。それがこの洛南高校の校訓の一つ「自己を尊重せよ」ということの意味です。自分をないがしろにしてはいけません。

とはいえ、何度もいいますが、人は一人で生きているわけではありません。人間とは四角形をイメージしたらいいと思います。その四角形の一部が破線になっていて、この破線は誰かによって埋めてもらわなければなりません。自分の破線を埋めてくれる人もまた、四角形の一部が破線になっている、というふうに、以下、同じように続いていきます。

イメージしやすいように、少し具体的な話をしましょう。皆さんもご両親のことを考えたらおわかりになると思いますが、子どもを一人で育てることは難しいことです。親が一人だけで育児に関わることを「ワンオペ育児」といいますが、ワンオペ育児など不可能です。母親が子育てに疲れた時に、夫がねぎらいの言葉をかけます。そうすると、母親は自分の破線を夫によって埋めてもらえます。その夫は、仕事から疲れて家に帰ってきた時に、子どもの寝顔を見て癒やされた気持ちになります。こうして、父親の破線は子どもによって埋められます。

このように、人は他者とのつながりなしに生きることはできないのです。今の話から少しそれますが、今の話では母親が子育てをするようにいいましたが、もちろん、これはそうでなければならないといっているわけではありません。結婚したら子育てを「手伝う」などというような人と結婚してはいけません。二人で子育てをしてください。

今皆さんは勉強を一生懸命しなければならない時期ですが、その勉強も決して「他者に勝つ」、つまり「競争に勝つ」ためにしているのではありません。知識を身につけ、他者に貢献するために勉強しているのです。知識を身につけて受験勉強をし、目指す大学に合格すれば、その時からいよいよ他者貢献ができると思っている人がいるかもしれませんが、そのように考えるのも間違いです。今は勉強のために何もかも犠牲にしていいはずはありません。今は将来のための準備期間だというのでもありません。目指す大学に入れば貢献できるのではなく、今すでに貢献しているのです。何度も話してきたように、生きていることによってです。他の人との競争に勝ち、しかもそのためには何をしても許される、競争から脱落する人がいれば喜ぶような人がいれば、そんな思いで勉強することは他者貢献とは真逆なのです。

他方、自分は他者貢献しているといっている人も、他者に貢献していないことがあります。そのような人が考える他者貢献は、どこか他者の目を気にかけています。よく思われるために他者貢献するのではなく、そんなことも忘れて自分の仕事に打ち込んでいる人のほうが、他者に貢献していることもあります。

今日私が話しているようなことは、理想だと思う人がいるかもしれません。「そんなことなどできるはずがないではないか」という話ばかりだと思います。しかし、理想だけが現実を変えることができるのです。現実はこうなのだから変えることはできないと思ってしまったら、自分も世の中も変えることはできません。こうあるべきだと理想を掲げているからこそ、理想の実現に向けて現状を変えていくことができるのです。

勉強は苦行ではありません。知らないことを知るのは喜びですし、皆さんが身につけた知識は他者のために使ってほしいのです。他者と競争するために、他者との競争に勝つために勉強するというのは未熟な考えだといわなければなりません。協力することがどういうことかを知っている人は、必要があれば競争できます。しかし、競争することしか知らない人は、協力することはできません。入学試験という手続き、形式だけを見れば競争だと多くの人は考えるでしょうが、知識をしっかり身につけなければ合格しませんが、大学に合格することが最終の目標ではないはずです。

スポーツ選手は、例えば、百メートルを瞬く間に駆け抜ける選手ははたして走っている最中、他者との競争が意識に上っているでしょうか。また、その時、国家のために走っているのだと思って走っているでしょうか。そんなことを思って走っている人がいれば、負けた時は絶望するしかありません。見る側からいえば、選手が勝とうが負けようが、真剣にプレイしている姿を見て心打たれるのです。勝つために薬物を使うことも、メダルを取れなかったからといって謝るのもおかしいのです。

自分が勉強するのは他者に貢献するためだが、そのことは自分を犠牲にすることでも、他者に喜んでもらうためでもないということがわかっているのといないのとでは、ずいぶんと人生が違ってくると思います。

哲学人生問答 25

存在するだけ、生きているだけでも他者貢献しているといえるでしょうか。

Q 他者貢献というのは実利的といいますか、ある種の「得」が他者に生まれることだと思います。よく「君がいてくれるだけで嬉しいんだよ」ということをいわれたりしますが、これも他者貢献に含まれると考えていいのでしょうか。

（二年生・男子）

A 子どもは、親にとって生きていること自体が喜びです。親も子どもが小さい頃は、特別であることを要求しなかったはずです。ただ生きてさえいればよく、ニコニコしてくれていたら、それだけで幸せだと親は思います。皆さんの親も同じです。今の皆さんは思い出せないかもしれませんが、自分にもそういう時代があったということを知っていてほしいのです。

しかし、親にはいつの頃からか欲目が出てきます。我が子の言葉が早いとか物覚えがいいなどの兆候を示し始めると、進学校を受験させようなどと思うものなのです。そうすると、親は、子どもに特別よくなれと要求するようになってきます。

しかし、そんなことを親からいわれても、誰もが親の期待を満たせるわけではありません。親から特別よくなることを期待されていたけれども、その期待に応えることができなかったとか、これからも期待に応えられないだろうと思う人がいます。そういう人は特別よくなれないと思ったら、一転して特別悪くなろうとします。

特別悪くなる人の中には、二つのタイプがあります。

まず、エネルギーのある人は問題行動を起こします。ボクシングの村田諒太（むらたりょうた）選手と対談した時に聞いたのですが、彼は中学生の時に非常に荒れていたそうです。ある日、彼のことをよく知っている先生に、「諒太、お前は何がしたいんだ」とたずねられて、彼は、「ボクシングです」と答えました。その言葉が、彼のその後の人生を決めました。エネルギーが強い子どもは、たとえ問題を起こしていても、そのエネルギーの向かう方向を変えると、立ち直りも早いです。

もう一つは、エネルギーがあまりないタイプです。こういう人は学校に行かなくなったり、長じて引きこもるようになったり、心の病気になったりします。

私がここでいいたいのは、「普通であればいい」ということです。特別よくなくても、むろん特別悪くなくてもいいのです。「普通である」ということは、「平凡である」という意味ではありません。「ありのままの自分でいる」という意味です。何かを達成しなくても、自分の存在、自分が生きていることが他者にとって喜びであり、それだけで他者に貢献していると思えること、そう思えた時、このままの自分に価値があると思え、そのような自分を受け入れることができるということです。自分が生きている、ただそのことだけで他者に貢献しているということは、特別であれといわれて生きてきた人には簡単なことではありませんが、このことに気づくことから始めなければなりません。

親に是非、自分が生まれた時どう思ったかをたずねてみてください。そして、今の自分のことをどう思っているか、聞いてみてください。「こんな成績では駄目だ」など、いろいろといわれるかもしれませんが、そういうこととは関係なく、親には子どもが生きていることが喜びに感じられている時があったはずです。忘れていても、親は今もそう感じているはずです。親はともかく、あなたが自分が生きていることに価値があると思えたら、そこから一つずつプラスして生きていけばいいと思います。才能や能力、実力のある人は、それを生かしてほしいと思います。皆さんは、この学校に入学してきた段階でそういう人生を選ぼうとしているのです。とはいえ、成績がいいから価値があるわけではありません。

哲学のもともとの言葉の意味は、「愛知」、「知を愛する」です。哲学者は知者ではありません。知者は知っているから、これ以上探究しようとしないのです。それに対して、愛知者は「知を愛する人」、あるいは「知を探求する人」ですから、知者とは違って、知の探求が終わることはありません。

あなたも迷っておられるのであれば、自分がどういうことで貢献できるかということを問うてみたらいいと思います。人生において大事なのは貢献することであって、成功ではありません。

哲学人生問答 26

Q 「普通」とは、大人が勝手に作った価値ではないでしょうか。

「普通」とか「普通じゃない」というのはどういうことなのですか。「普通」というのも他者の評価であり、大人が勝手に作った価値です。私自身は「普通」

とか「普通ではない」というのは、人間の価値とは関係ないと思っています。先生は「普通」とはどういうことだとお考えですか。

（二年生・男子）

A　普通というのは「ありのまま」という意味です。道具であれば、例えば、パソコンやスマートフォンは経済的余裕があれば買い替えることができます。でも、この自分という道具は他の道具に買い替えることはできません。どれほど癖があっても、この自分のことを好きになれないと幸せになることはできません。ところが、小さいころから親やまわりの大人に特別よくあれと期待されて育った子どもは、大人が勝手に作った価値に自分を合わせようとするのです。

物分かりのよい大人はいます。物分かりのよいように「見える」ということですが。そのような人は私の子どもは普通であればいい、といいます。そこで、私は普通とはどういうことなのかをたずねます。

「中学校を卒業したら、すぐに就職されてもいいですね」

「いいえ、中卒ということはありえません。せめて高校に行ってほしいです」

「高校であればどこでもいいのですか」

「どこでもいいわけではありません。名の通った高校に行ってほしいです」

「それでは、高校を卒業するとすぐに就職されてもいいのですね」

「大学に行く時代です」

「それでは大学はどこでもいいのですか」

「いえいえ、名の通った大学に行ってほしいです」

かくて、大人が要求する「普通」はかなりハイレベルであることがわかります。子どもたちは、到底普通にはなれないわけです。私が今日話している「普通」はもちろん、このような意味での「普通」ではありません。

知能指数が高い人は価値があるというのも世間が作り上げた価値観です。人間には測れない才能もありますし、むしろ人間の才能は量的なものではありません。そんなものとは関係なく誰にも価値があるのですから、人間の価値をある尺度からだけ測るのは間違いなのです。

このような世間的な、大人が勝手に決めた価値に合わせようなどと思わなくていいのです。親であれ世間であれ、誰かの価値に合わせた自分ではなく、ありのままの自分という意味です。

先にも見たように、人は特別によくなろうとしますが、それに失敗すると、今度は特別に悪くなろうとします。普通であるというのは、そのどちらでなくてもいい、ありのままの自分でいいという意味です。親や世間がよしとする人間になろうとすることはありません。誰が何といおうが、自分は自分なのですから。「あなたが『この自分』であるということに変わりはない」ということです。

哲学人生問答 27

精神がいまだに形成されておらず、焦り（あせ）を感じます。

Q　自分は思春期で、精神や思想などが個人の中で形成されていく時期にいると考えています。でも、自分と同世代でデモなどに参加する人たちを見ていると行動力もあり、確固たる精神を持っているように見え、尊敬します。デモに参加したいとは思いませんが、彼らを見ていると、今の自分があまりに感覚的なものの中に生きているのではないかと思い、焦りを感じます。

さまざまなものに影響される思春期にあって、いまだに確固たる精神が形成されて

いない自分は、どういった指標を持てば大学に進学してから望ましい行動が取れるようになるのでしょうか。（二年生・男子）

A 思春期でなくても、精神が完成するということはありません。むしろ逆で、精神が完成されたなどという大人がいたら、そちらのほうが間違っていると私は思います。

私の息子は高校生の時、プラカードを作ってデモに参加していました。息子を見た大人たちは驚いていたそうです。彼は精神的に早熟で、デモなどの政治的な活動に参加してもいましたが、一方で私は、必ずしもそういった考えや行動ができなくてもいいと考えています。今の世の中は、結果や行動に価値を置きすぎます。スロースターターや大器晩成型の人がいてもいいと思うのです。そういう人は今の世の中、とても生きにくいです。就職活動の時、誰もがリクルートスーツに身を固めて、「ワードも使えます、エクセルも使えます」などと、自分を取り替え可能な即戦力のある人材として売り出そうとします。私はそういう人になってはいけないと思うのです。

先に奈良女子大学の話をしましたが、奈良女子大では、岡潔（おかきよし）という数学者が教えていました。岡先生は、ある夏招かれて北海道大学の応接室でずっと数学の問題を考えていました。他の人が「あの先生、何をしているんだろう」と応接室をこっそりのぞいてみると、ずっと寝ているのです。何週間か経ち、いよいよ奈良に帰る日になった時、朝ご飯を食べてそのままソファでしばらくぼうっとしていたら、ひと夏考えていた数学の問題がたちまち解けたそうです。

こういうことが許される社会にしなければならないと私は思います。皆が皆、即戦力である必要はありません。即戦力としてしか社員を見ないような会社は、そのうちAIが優勢になれば、たちまちコンピュータが人間よりも即戦力になりますから、直ちに社員を解雇します。近未来の話ではなく、AIの導入を理由に人員が削減されているのです。誰かに取って代わられる人になりたくないでしょう？　企業のほうも他ならぬあなたを採用したいとは考えないで、ただ「人材」がほしいだけなのです。今は人間を採用していますが、やがて人間は採用されなくなるでしょう。それがいいといっているわけではありません。こんな時代だからこそ、ゆっくり考える人の存在は貴いのです。

今、形成中の、あるいはこれからもずっと形成されていく精神について、どう考えたらいいかということを悩みながら生きている人にとっての一つの指針は、他者貢献です。自分がこうやって生きていることが、そのまま他者に貢献していると感じられることが大事です。

このように感じることは難しいと思う人は多いでしょう。目に見えることを達成してこそ他者貢献していると実感できると思う人も多いでしょう。皆さんの場合は大学受験が迫っているわけですから、その受験に成功したら、親は喜ばれるでしょう。やがて、大学を卒業し、就職もし、お金も稼ぐようになると思います。

しかし、それだけが他者に貢献することではありません。むしろ、成功や地位のことしか考えていない人は、他者貢献のことなど少しも考えていないかもしれません。そのような人にとっては、生きているだけで他者貢献していると思えることは簡単なことではないのです。生きていることで貢献できると思えなければ、何も成し遂げられない自分に価値があると思えず、このままでは駄目だという焦りにとらわれてしまいます。

偏差値の高い大学に進学したり、一流企業に就職したりすることがいけないわけではありませんが、親を喜ばせるためだったり、自分のためにだけそうするのでは駄目なのです。自分が生きていることが他者にとって喜びであり、他者に貢献していることだと思えないような人は、先にもいいましたが、他者に不寛容になります。働かない人を見下し、収入がないのは自己責任だというような人になってほしくないのです。

哲学人生問答 28

世の中、実学ばかりで哲学や文学、心理学が軽視されていると感じます。

Q 高一の時、京大の理系研究者の話を聞いた時、実学重視の傾向があって哲学や文学は軽視されている気がしました。ですが、私は理系の研究をしていく上でも、哲学などを理解する必要があると思います。私自身、理系ですが哲学や心理学も好きです。
将来、理系の研究者になった時、他の理系の人に哲学や心理学の必要性を伝えるとしたら、どう話せばいいのでしょうか。（二年生・女子）

A おっしゃるとおり、今は本当に実学重視です。授業の中でも話しましたが、私は奈良女子大学で古代ギリシア語の授業を担当していました。ところが十三年目のある日、文学部長から呼ばれ、「ギリシア語の授業は受講生が少ないので、来年はこなくていい」と突然いわれました。

たしかに、学生が一人や二人という年もありました。しかし、ギリシア語やラテン語は西洋文化の基礎なのですから、ギリシア語やラテン語を知らずに、ただ英語だけを勉強するなど、あってはいけないことだと私は思っています。しかし、「受講生が少ないのでこなくていい」といったのは、まさにその文学を研究する文学部長でした。私はその先生に、「いまおっしゃった同じことを、ご自分も経験することになりますよ。自分で自分の首を絞めることになりますよ」と予言して、大学を去りました。

今、英文科という学科がなくなりつつあります。学生はシェイクスピアを研究したいと思っても、英語学科はあっても英文科はないのです。そういう風潮は間違っています。文学部を代表とするような、実学とは遠い学問をする人がいなくなったら、この国は滅びます。

理系の研究も実学ばかりではありません。数学や物理学では問いそのものを自分で見つけ出し、その問いに答えを見つけ出さなければなりません。しかも、答えが出るという保証はありません。湯川秀樹（ゆかわひでき）の言葉を借りると、今日も「一日じゅう、自分で考え出したアイディアを、自分でつぶすことをくりかえす」(『旅人—ある物理学者の回想—』)。そんな日々を送らなければなりません。湯川が子どものころから文学に親しみ、やがて哲学書も次々に読んでいることが湯川の伝記を読めばわかります。

あなたが理系の研究者になった時、まわりが実学重視であれば、「目先のことだけにとらわれた実学重視の傾向は、私は間違っていると思います」と、どうぞはっきりいってください。何よりあなたの研究の背景には哲学や心理学、文学があると思われるような研究者になってください。世の中には実例を見せることでしか伝わらないことがたくさんあるのです。

専門はいくつあってもいいと思います。欧米であればそういう例はいくらでもあります。主専攻の他に副専攻というのがあるのです。理系と文系をまたいで専門を二つ持つことは難しいかもしれませんが、それでも理系の学部に身を置きながら文学に親しむということは、当然できます。そういうことを、身をもって人に示すような生き方をしてください。

哲学人生問答29

心理学と哲学を一緒に学ぶことにメリットはあるのでしょうか。

Q 先生はギリシア哲学とアドラー心理学を専門にされていますが、哲学と心理学はかなり異なっていると思います。それらを一緒に学ぶと、どういうメリットがあるのでしょうか。

大学でもアドラー以外の心理学は学べるのでしょうか。あるいは、大学では哲学とアドラー以外の心理学をセットで学べるものなのでしょうか。（一年生・男子）

A 今おっしゃったことは、私にとっても重要な問題でした。

私が心理学の勉強を始めたのは一九八九年、もう三十歳を越えていました。今日話しているのは、アドラーが創始した個人心理学と呼ばれる心理学です。アドラーは、日本でいえば明治時代のおじいさんですが、彼がいっていることは新しく、時代はまだアドラーに追いついていません。他の心理学だったら、私がそれまで勉強していた哲学と共に学ぶことは難しかっただろうと思います。

私が学んでいたのはギリシア哲学の中でも特にプラトン哲学ですが、アドラーもプラトンも「目的論」という立場を取ります。どちらも「原因があって結果が起きる」という考えには立ちません。そういう意味で、アドラーの創始した「人間が何かの行動をしたり考えたりする時には必ず目標や目的がある」と考える心理学は、私がそれまで学んでいたプラトン哲学と同じだということに気づきました。だから私は、「哲学と心理学を同時に学べるのか」という大きな葛藤なしに両方を学ぶことができましたが、もしもアドラー以外の心理学をやろうとしていたら、もともと拠って立つ前提が違うので、難しかったでしょう。

今流行りの脳科学とも、アドラー心理学は前提が違います。アドラーは、「脳は心の道具だが、起源ではない」と考えます。どれほど脳の働きを調べてみても、人間の自由意思を説明することはできません。幸福であることを望まない人はいません。幸福とは何か。どうすれば幸福になれるかを考えるのが哲学ですが、アドラー心理学も客観的に心について考察する科学というより、価値を問題にするという意味で哲学ということができます。

残念ながらアドラー心理学の講座がある大学はありません。アドラー心理学を学んでいる哲学や心理学の教員が、講義の中でアドラー心理学を取り上げていることはありますが。

アドラー以外の心理学と哲学をセットで学べるかという質問ですが、もちろんできます。もともと、哲学と心理学は同じ学問でした。後に専門が分化しただけで、昔の哲学者は心理学者でした。例えば、アリストテレスは『魂について』という本を書いていますが、この本などは今でいう心理学そのもので、そういう意味ではかつて哲学と心理学は同じだったといえると思います。

しかし、哲学の目指すものと科学が目指すものは違うので、心について同時に勉強することは難しくなってきているというのが現状だと私は思っています。

第2部

自立するための三つの条件

決めなければならないことを自分で決められる

「大人になる」ということには、三つの条件があります。

一つ目は、「自分が決めなければならないことを自分で決められる」ということです。

皆さんの身近なところ、例えば、勉強するということについて考えてみましょう。

本来、勉強するしないは自分がなんとかしなければいけない課題なのに、そのことを親からいわれたら土足で踏み込まれている気がして、愉快に思わない、あるいは嬉しく思わないということがあると思います。小さい頃から親に「勉強しなさい」といわれ続けた生徒が、突然「勉強しなさい」といわれなくなったら、実際に勉強しなくなります。

親は子どもが勉強しなくなったら困るではないかということがありますが、困るのは本人であって親ではありません。そのうち、いよいよ勉強しないといけないと思ったら、勉強するようになるかもしれませんが、しないかもしれません。でも、それは子どもが自分で決めることで、親が決めることではないのです。本当は親が困るのは子どもが勉強しないことではありません。親が期待するように大学に行かないということがあったら困ると思っているだけです。勉強することと大学に行くことはまったく別のことです。大学に行かなくても勉強することはできます。大学に行っても勉強しない人もいます。

哲学人生問答30

将来の夢ややりたい仕事、行きたい学部などが見つかりません。

Q　私は将来の夢や自分が就きたい仕事、行きたい大学、行きたい学部などがよくわかりません。どうすれば自分のしたいことが見つかるのでしょうか。

（二年生・男子）

A　今の時代は昔と違って、大学や職業に関する情報が豊富にあり、誰でもアクセスできます。まずは大学のホームページを見てみるのはどうでしょうか。

私が高校生の頃はそういう情報を手に入れるのは簡単ではありませんでしたが、今はどこの大学で、どんな先生がどんな講義をしているかわかりますし、シラバス（講義の内容や計画）も全部公開されていることがあります。そういう情報を調べ、さらには親や先生など、身近な大人に話を聞くのもいいと思います。自分の行きたいと思っている大学で学んでいる高校の先輩から話を聞いてもいいでしょう。

「先生はなぜ英語学を専攻されたのですか」「先生はなぜ哲学を勉強しようと思ったのですか」「なぜお金儲けをすることにしたのですか」などというようなことをたずねてみるのも、一つの方法です。このようにたずねてみても、がっかりするような答えが返ってくることもありえますが。

今、一年生とのことですが、その段階で将来何がしたいかわからないというのは、少し残念です。この時期ならかなり具体的に「こういうことがしたい」という目標が見えていないといけないと思います。見えていないのはおそらく、これまで勉強だけに専念してきたからではないですか。自分の将来像についても、今後はしっかりと考えていかなければなりません。

ヨーロッパ、例えばドイツやオーストリアでは、ギムナジウムという大学進学のための学校に進むのか、職業学校に進むのかを十歳で決めなければなりません。あなたは十歳の頃、そういった将来像を決めていなかったかもしれません。あるいは、決められなかったかもしれません。ですが、今の年齢になったら「こういうことがしたい」ということが決まっていてしかるべきです。今まだ決められていないのはあなただけではないでしょうが。

幸い、今は情報が氾濫しているくらいなので、大学のホームページを見たり、大学の先生方が書いておられる本を自分で手にしてみたりするというようなことをしてください。ただなんとなく○○大学に行きたい、××大学に行きたい、ということでは駄目です。私の息子はある大学の法学部に行きたいと言い出しました。法学部は多くの大学にあるので、地元にある大学の法学部では駄目なのかと聞いたら、息子はその理由をきちんと説明しました。偏差値のことだけを考えて大学を選ぼうとしていたら、再考を促していたかもしれません。

偏差値とか世間の評判ではなく、この学問を専攻したい、この先生に師事したいということがはっきりわかれば、勉強に対するモチベーションが違ってきます。その先生を目指して入学してみたら、退官されてしまっていたということはよくあることなのですが、それでも、自分で調べることには意味があります。

一点、注意するならば、今勉強しているのは決して大学入試のためだけではありません。大学入試のためだけに勉強している人は、入試には関係のない教科は余計だと考えて身を入れて授業を聞こうとしません。これがどれほどもったいないことかは、大学に入ってからわかります。

さらにいえば、今は将来のための準備期間ではないということです。本番を前にしたリハーサルではなく、今の人生が本番なのだということを忘れてはなりません。

哲学人生問答 31

やりたいことが見つかれば、モチベーションが出てきますか。

Q 私は入学してから何事にもモチベーションがなくなり、朝起きるのも一時間も遅くなってしまっています。やりたいことが見つかったら、こういう状況は変わりますか。

（一年生・男子）

A　本当にやりたいことが見つかったら、本気で勉強できるようになります。入学してから朝起きるのが一時間も遅くなったということは、以前は強いられて勉強していたか、そうでなければ、入学がゴールだったのでもはや早起きをする気がなくなったのでしょう。やりたいことがあり、それをするためには今何をしなければならないのかをわかって勉強するのと、親や先生など人から強いられて勉強するのとは、まったく別のことです。

第1部で元NHKアナウンサーの島津有理子さんの話をしました。彼女は優秀なアナウンサーだったので、何事もなければ昇進もして定年退職まで働いていたかもしれません。しかし、彼女が目指しているのは成功ではありませんでした。成功を目指していたらNHKを辞められなかったでしょう。しかし、彼女があえてそういう人生を選んだのは、医師になって人を救いたい、他者に貢献したいという昔からの目標に気がついたからです。成功し安定した地位をなげうってでも、医学の道に進まれたのだと思います。

あなたにもそういう目標が見つかれば、きっと生活も変わってくるだろうと思います。

他者から立たされてはいけない

カウンセリングにこられる親は、「勉強するかどうかは子どもの課題なので、親が踏み込んではいけない」というところまでは理解されます。しかし、その後、間違う親が多いのです。どういうことかというと、それならば、親が子どもを自立させないといけないと思われるのです。どこが間違っているかわかりますか。

何年もの間、家に引きこもっていた若い人がいました。彼のお母さんと話をする機会があったので、息子さんは普段どんな生活をされているのかとたずねると、普段はほとんど家から出ないというのです。ところが、ある日、母親が、昨日、息子が外出し、書店に行ったと報告されました。日頃家から出ない息子さんも本屋さんには行くのだと私は思い、どんな本を買うのかたずねたところ、買ったのはパソコン雑誌でした。

この話を聞いた時、パソコンはまだ一般的ではありませんでした。それなのに、パソコン雑誌を買ったということは、彼の家にはパソコンがあるのだろうと思いました。実際、パソコンをその息子さんは使っていました。私はお母さんにこう話しました。

「インターネットを使って、世界に情報を発信することができます。おそらく息子さんはご存知だと思いますが、プロバイダーと契約して、自宅のパソコンを電話回線につないでみてはいかがでしょう」

インターネットのことを知らなかった母親がこの話を息子さんにしたところ予想どおり知っていたので、パソコンはたちまち世界につながりました。このようなことは今の若い人には説明は不要でしょうが、当時はこのような説明が必要でした。その後、息子さんは、五人とメールでやり取りするようになりました。その五人の中に、定時制高校の先生がおられました。その先生とメールを交わしているうちに、先生が勤めている定時制高校に関心を持つようになり、自分も定時制高校に行きたいと親にいいました。

このことをきっかけに、彼は学校に通い始めたのですが、親がもしもこの時、子どもに「この先生はきっと返事をくれるから、一度メールを出してみたらいい」というようなことをいって、定時制高校の先生のメールアドレスを渡し、彼がその先生とのメールのやり取りをするうちに定時制高校に行きたいといい出したとしたら、それは「自立」ではなく「他立」なのです。他立という言葉はありませんが、自分で立ってこそ自立なので、自立させられた子どもは自立したのではなく、他者から立たされたのですから、自立したことにはならないのです。

まわりの人は援助したいし、しなければならない場面もありますが、基本的には子どもが自分の人生を決める援助をするのであって、親が子どもを立たせてはいけません。親にはこんなことを話します。

第1部で、私が昔家庭教師をしていた高校生の父親が、受験情報誌片手に進むべき大学について娘にあれこれ説教をしていた話を紹介しました。これも、父親が娘を自立させようとした「他立」の事例です。彼女の場合は、結局、自分が行きたい大学に進学し、自分がしたい仕事に就きました。彼女は自分で決めなければならないことは自分で決めました。これは「自立」です。

はたして皆さんはこういうことができるのか、考えてほしいのです。子どもからすると、親に任せてしまえばある意味、楽ではあります。彼女の場合でいえば、大学入学後うまく行かなくなったら、「あの時本当はこっちの大学に行きたかったのに、お父さんが行くなといったから行かなかった」といえるからです。そういうことをいわないのが「自立する」ということです。

そして、自分が決めたことの責任は必ず自分が取らなければなりません。自分で決めなければならないことはたくさんありますが、他方、簡単にそういうことを自分で決めてはいけないと思う人がいるかもしれません。「勉強しなさい」と親が口やかましくいってきたら、「それは私の課題だから」と突っぱねられるような勇気を、是非持ってほしいと思います。これが、自立するための一つ目の条件です。

哲学人生問答32

医学に興味がありますが、人を救いたいとは思いません。

Q　私は子どもの頃から勉強が好きで、ただ好きなことをしてきたら高校にも合格してしまいました。今までひたすら自分のしたいことをしてきただけなのですが、成績も悪くありません。

そのためなのか、中学生の時に親から「医者になりなさい」といわれました。医学はたしかに面白いと思いますし、臨床医学にも興味があります。

でも、私は人を救いたいとはまったく思わないのです。医者になりたいとかなりたくないとかというより、ずっと学び続けられたらいいと思っているだけです。こういうそもそも私は他人に冷たいというか、他人よりも自分に興味があります。こういう私は医学には向いていないのではないかと悩んでいます。（一年生・女子）

A　どういう人が医師に向いているかといえば、患者と接するつもりであれば、患者に関心を持てる人です。医学部に入ることも、入学後、国家試験に合格するまでは一生懸命勉強しなければなりませんが、患者を救うために医師になると思えなければ、勉強が苦しくなるとたちまち投げ出すことになります。

私が入院していた時にある看護師さんからこんな話を聞いたことがあります。その人はおじいちゃん子だったのですが、中学生の時にそのおじいさんが入院することになりました。見舞いに行くと、髪の毛を梳かしてもらえず、髭も伸び放題でした。そこで病院に毎日通って髪の毛を梳かしたり、身体を拭いたりしました。

その経験が後に看護師になることの動機になったかとたずねたところ、間違いなくそうだという答えが返ってきました。

医療従事者になろうとする人はこの話を聞いてどう思いますか。

自分の価値を自分で決められる

自立するための二つ目の条件は「自分の価値を自分で決められる」ということです。

第1部で、「どうしたら幸福になれるか」について「人からどう思われるかを気にしない」という話をしました。私たちは人からの評価に振り回されますが、人からどう評価されるかということと自分の価値や本質はまったく別ものです。私の共著のタイトル『嫌われる勇気』とは、「嫌われることを恐れるな」という意味だといいました。人に気を遣いすぎている人に、少しくらい人から嫌われてもいいといってちょうどいいくらいだという意味です。

なぜこういうことをわざわざいう必要があるかというと、カウンセリングにこられるのは、自分にしたいことがあってもしたいといえず、いうべきことがあってもいえない人ばかりだといっていいからです。このような人は自分の言動が他の人にどう受け止められるかを意識できるという意味で優しいのですが、あまりに意識しすぎるといいたいことがいえなくなってしまいます。でも、それくらい配慮できる人なので、嫌われる勇気を持とうといってみても、たちまち傍若無人な人になる心配はありません。

とはいえ、このような人は皆にいい顔をしますから、まわりに敵はいません。でも「あなただけよ」と皆にいっていると、他の人にも同じことをいっていることが発覚すると信頼を失ってしまうのです。

敵がいるのは自由に生きている証

自分の思っていることをいい、したいことをしていると、まわりに自分のことをよく思わない人が出てきてもおかしくありません。自分のまわりに自分を嫌う人がいたら、嫌われることは自分が自由に生きていることの証であり、自由に生きるためには、それくらいのことは支払わなければならない代償だと考えてください。

反対に、まわりに自分を嫌う人が誰もいないとすれば、その人の生き方は非常に不自由なものであると考えて間違いありません。嫌われることも含めて、人からどう思われるかということを気にする人があまりにも多いように思います。人からどう思われるかというのはある人の自分についての評価でしかありません。それなのに、その他者からの評価を気にする人がたくさんいます。

人の評価と自分の価値の本質はまったく別ものであることを知っていないと、自由に生きていくことはできませんし、他の人の評価に左右されているようでは自分のしたいことができず、自分のしていることや自分の価値を自分では決められないことになります。

他者の評価は正しいとは限らない

仕事上の評価の話をします。

目下二百万部近く（二〇一九年当時）売れている『嫌われる勇気』の初版部数は八千部でした。これは今の出版事情から見るとかなり多い数字で、「この本が売れることを少し期待している」というような数字です。同じ時期に同じ版元から出版された本は五万部からスタートしました。私は私たちの本のほうが絶対に売れると思っていましたので、悔しく思いました。当時、私は無名でしたから、出版社はリスクを冒したくないということで八千部からスタートしたのです。それが版を重ね、今に至ります。

ある編集者は就職活動をした時に十九社受けましたが、次々と落とされたそうです。二十社目にしてようやく採用された出版社で彼が編集した本がミリオンセラーになりました。

私がいいたいのは、そんな彼の力を評価できなかった十九の出版社があるということです。それくらい、自分の価値は他人からは正当に評価されないものなのです。仕事では必ず結果が出て、それに対して評価されますが、評価が正しいとは限りません。そういうことは十分ありうるということを知っておかなければなりません。知っておかないと人からの評価を恐れ、自分が本当にしなければならないことができなくなります。

哲学人生問答 33

自分が好きではなく、自信もありません。どうすればいいでしょうか。

Q 私は自分のことが好きではなく、自信もまったくありません。自信をつけるには、どうしたらいいでしょうか。（一年生・女子）

A 自分のことを好きにならず、自信を持ってはいけないと決めて生きてきたのです。まわりの人から小さい頃から低い評価を与えられ、自分でもそれを受け入れることにしたのです。最初から低い評価を与えられたのではなかったでしょう。大人の期待を満たそうと思って生きようとしたのに、とても大人の期待を満たせないと思った時、自分には価値がないと思うことにしたのです。

幸か不幸か、親や大人からの期待に添った生き方ができている人は自信が持てます。しかし、その自信は大人から与えられたものです。大人の価値観、あるいは世間的な価値観では測れない価値を自分が持っていると考えてください。それは自分で見出すしかありません。他の人と違う自分であることを、大事だと思わなければならないと私は思います。そう考えた時に、「自分は他の誰でもない私である」と思えるようになるはずです。

「この私」は、これからもずっと「この私」です。どんなに癖があっても「この私」は「この私」であり、「この私」とずっと付き合っていかなければなりません。一夜にして能天気でネアカな人にはなることはできません。なる必要もありません。ですから「この私」を受け入れることができれば自分に価値があると思え、自分が好きになれます。

アドラーは、「何が与えられているかではなく、与えられているものをどう使うかが大切だ」といっています。多くの人は今の自分が嫌いだ、いやだと思って別の人に変わりたいと思います。しかし、別の人になってしまったら、それは「私」ではなくなります。逆説的な言い方になりますが、「この私」ではない誰かになろうと思うことをやめた時に、すでに変われているのです。

哲学人生問答 34

個人に対するまわりの評価は不要なものなのでしょうか。

Q 先生のお話はわかるのですが、それでも私はまわりからの評価を聞かないと、自分が損をすることもあるかもしれないと思えてなりません。先生にとって一個人に対するまわりの評価は不要なものなのですか。

（一年生・男子）

A 基本的には不要だと思います。他者からの評価を軸に置いている限り、人間は不自由な生き方しかできません。

リルケというドイツの詩人がいます。彼のところに若い詩人が詩を送ってきました。リルケに自分の詩を読んで評価してもらいたいと考えたわけです。あわよくばその詩をリルケに雑誌社かどこかに紹介してもらって、出版の道が開けないかと考えていました。リルケはこう返事をしました。

「こういうことは今後一切やめなさい。その代わり、夜のもっとも静かな時間に、自分にこう問いなさい。私は詩を書かずにはいられないのか、と。そういう問いを自分に突きつけた時に、詩を書かないわけにはいかない、という答えが返ってくるのであれば、これからも詩を書きなさい」

リルケは自分の詩集を手紙を送ってきた若い詩人にプレゼントしたいと思いました。でも、残念ながら、彼は自分の詩集を自分では買えないくらい貧しかったのでした。それでも、自分の詩に価値があると思っていたので、他者から評価されるかどうかに関係なく彼は詩を書き続けたのです。

結果として、後の世にリルケを評価する人はたくさん出てきました。ですが、評価されることを目指して詩を書くとしたら本末転倒でしょう。

哲学人生問答 35

兄に勉強のことで質問をすると、あれこれ指図をしてきてうるさいです。

Q 兄に、学校で教わったことについて質問すると、「自分はこうした」など私の質問とは違うことや、聞いたこと以上のことをいってくるので不愉快になります。「もう、いい」といってその場から離れようとすると「ちゃんと聞けよ」とすごく怒ります。どうしたらいいでしょうか。

（一年生・男子）

A 「お兄さんの課題ではない」というしかありません。今の場合は、あなたが勉強のことで質問したのですから、それに答えようと思ったお兄さんが、あなたが必要とする以上の情報を与えようとしたのでうるさく感じたのですが、お兄さんは求められていること以上のことまで指図したか、境界が見えてないのかもしれません。

不用意に「そんなことは聞いていない」などといったら、「お前が質問してきたのではないか」といわれるでしょう。だから「もういい」ではなく、「今教えてもらったことでよくわかった、ありがとう」というのが賢明です。

それでもお兄さんが怒ったら、それはお兄さんが自分で何とかしなければならないお兄さんの課題ですから、弟のあなたが何とかしようと思ってはいけません。お兄さんは善意でいわれているはずですから、もう少し言い足すならば、たずねたこと以上のことはいってもらわなくてもいい、私のことをもっと信頼して見守ってほしいといえます。

この話は勉強のことで質問した時にはいわないほうがいいでしょうね。

哲学人生問答 36

中学受験をするといいながら、勉強しない弟に腹が立ちます。

Q 今度中学受験をする小学生の弟がいます。わざわざ自分から受験したいといって、塾にも行き始めました。しかし私が家に帰ると、まったく勉強していません。腹が立って弟を強く叱ったら泣いてしまい、私が母に叱られました。そのことに納得がいきません。

弟の課題であって私の課題ではないということはわかりますが、こういう場合、どういう声がけをしたらいいのでしょうか。そもそも弟の中学受験も、母の機嫌を取るために始めたように思えてなりません。だからやる気も出ないのだと思います。

（一年生・女子）

A 勉強するしないは弟さんの課題なので、あなたが関わる必要はありません。でも、他の人が勉強しないのは放っておいていいけれども、他人ではなく弟なので、弟が勉強しないことは放っておけないというのであれば、第1部で話したように、共同の課題にする手続きを踏むことはできます。

こんなふうにいいます。

「最近のあなたを見ていると、あまり勉強をしているようには見えませんが、そのことについて一度話し合いをしたいのですが、いいでしょうか」

それに対して弟さんが「放っておいてくれ」といったらそこで話は終わりですが、どうしてもいいたいのであれば、こんなふうにいうことができます。

「事態はあなたが思っているほど楽観できる状況だとは思わないけれど、また力になれることもあると思う。その時はいつでもいってね」

それだけいって、それ以上は何もいわなくていいです。もしも、弟さんが何もいってこなければ、それで終わりです。でも、もしも何らかの援助を求めてこられたら、できることは援助しましょう。援助を求めてきたのに、「それはお前の課題だ」などといったら、二度と援助を求めてこなくなるでしょう。

弟さんは目標の設定を間違えているのではなく、手段の選択を間違えているのです。中学受験をするという目標を掲げたのであれば、それを達成するためには当然勉強しないといけません。受かるためには勉強しないといけない。弟さんはたぶん、そういうことはいわれなくてもわかっているはずです。母親の機嫌を取るために受験しようと決めたのであれば、それは受験の動機として間違っていますから、もしも弟さんがわかっていないのなら教えることはできますが、この場合も手続きを踏まなければなりません。

目下、勉強していないことには目的があります。これは自分ではわかっていないかもしれません。弟さんは可能性の中に生きているのです。つまり、もっと勉強したらいい成績を取れるのに、とまわりからいわれ、実際に勉強していい成績が取れないよりも、もしも勉強をしたらという可能性の中に生きるほうがいいと考えて、勉強しないのです。仮に受験に失敗しても、もっと勉強していたら受かっただろうといいたいのです。

だからあなたは、弟さんは中学受験するという目標の設定は間違っていないけれど、手段の選択で間違えている、もしも受験に成功したいのであれば勉強しないといけないわけで、そこが本当にはわかっていないと考えたほうがいいと思います。受験を先に経験した姉として弟に助言する時には、自分の考えを押しつけてはいけません。自分の意見をいうだけに留め、判断は弟さんに任せるようにします。

今あなたが一番弟さんに対してできることは、「親の機嫌を取るためなら勉強しなくてもいい。勉強したいのならすればいい。もしも中学受験をしたくないのなら、親がどう思うかは関係ない。自分で決めていいことだ」と話すことです。その上で、何かできることがあったらいってほしいということはできます。親に受験するつもりはないといってほしいといわれても困るかもしれませんが、間に入って何とかしようと思わず、ただ伝令役をするのなら難しいことではありません。弟が受験しないといっていると伝えればいいだけですから。

きょうだいの話で、思い出したことがあります。親は子どもたちを比較してしまうのです。行きたい学校があっても、親からの評価で気持ちが揺れることがあります。自分より弟のほうが優秀であることを知った親が弟を贔屓（ひいき）するようになるのを見て、学校に行かなくなった人がありました。親がどう思おうが関係ないのです。自分がしたいことを親が認めてくれないからといって、親に反発しなくていいのです。親に認めてもらえないからといって親に反発する人は自分の人生を生きてはいないのです。

その兄は自分が行きたい大学があり、そこで学びたいことがあったのですが、弟が世間的にはさらに成績のいい人が行くと思われている大学に行くといった時、心が揺れました。それくらいのことで迷ってしまうような進路の決め方では駄目です。

哲学人生問答 37

自分の価値の生かし方を見出せない人にアドバイスをお願いします。

Q どういった方向性で社会貢献していくのか見出せない人も、たくさんいると思います。親に勉強しろといわれて洛南高校に入った人もいれば、医者になれといわれて入った人もいるでしょう。必ずしも〇〇のために××をするということだけでなく、〇〇になるという形式的なレベルでとどまっている人もかなりいると思います。自分の価値をどういう方向性で生かしていくのか見出せない人に対して、先生はどのようにアドバイスされますか。

（一年生・男子）

A いろいろなレベルでの貢献があります。繰り返し話していますが、誰もが「生きている」ことで貢献しています。皆さんが小さかった時は、生きていることだけに価値があると親から思われていたように、今も、自分は生きていることだけで価値があり貢献していると思っていいのです。

私が五十歳で心筋梗塞で倒れた時、ベッドの上でまったく身動きが取れなくなりました。仕事も失い、家族にただ迷惑をかけているだけだと思いました。こんなことでは、自分に生きている価値がないのではないかと思い悩んでいました。しかし、ある日、ふとこう思ったのです。もしも他の家族や親しい友人が病院に担ぎ込まれたとしたら自分はどういうふうに感じ、どんな行動を取っただろうか。取るものも取り敢えず病院に駆けつけたはずです。その時、その人がどれほど重体であっても、生きているだけでよかったと思えたはずなのです。同じことを自分に当てはめて考えてはいけない理由はないと思いました。私がこうやって生還できたことを喜んでくれる人はきっといるだろうし、こうやって生きていることで他者に貢献していると思えるようになったころから、私は精神的に安定していきました。やがて、少しずつ元気になっていきました。ベッドで身を起こせるようになり、パソコンを持ち込んで原稿を書くようになりました。

すると何が起こったかというと、看護師さんが私の病室を次々訪問してくださるようになったのです。最初は私の身体を拭いてくださる時に相談を持ちかけてこられるのです。やがて、多くの方が勤務時間外に私の部屋にやってきては相談されるようになりました。休みの日に私服で私の病室に恋愛相談にくる看護師さんもいました。私は「患者なのにカウンセリングしているなあ」と思いました。このように、少しでも元気になり身体を動かせるようになったら、行動のレベルでも他者に貢献できるようになるのです。

どちらも形は違います。一方は存在です。生きているだけで貢献しています。もう一方は行為です。共通するのはどちらも、他者貢献であるということです。「自分がしていること、あるいは生きていることが、他者に貢献しているかどうか」ということを軸に動いてほしいし、生きてほしいと私は思います。

才能も力もあって洛南高校に入ってこられた皆さんですから、医師や政治家、官僚になりたいと考えるのもいいと思いますが、一度是非「何のために医師になるのか」と考えてみてください。私腹を肥やすためではないはずです。社会的な名声を得るために医師になるわけでもないでしょう。

前に話したアナウンサーの島津さんもそうですし、シュバイツアーもそうです。シュバイツアーは神学者でオルガン奏者の第一人者でしたが、その地位をなげうってアフリカに行くと言い出し、それを実現しました。自分に才能があるのであれば、その才能を他者のために生かしてほしいと強く思います。

哲学人生問答 38

アルツハイマー病の祖母が私を避けるようになり、悩んでいます。

Q 祖母がアルツハイマー病に罹ってしまったので、医者になりiPS細胞などの研究をしたいと考えています。私は祖母にすごくかわいがられたので、祖母の調子のいい時も悪い時もいつも会いたいのですが、祖母は私に会うのを嫌がります。病気のせいでいろいろなことができないところを見せたくないみたいです。祖母に「ありのままの自分でいい」ということをいったら、少しは助けられるのではないかと思うのですが、先生はどうお考えでしょうか。私は祖母に「いつかよくなる」みたいなことはいいたくないのです。そのような状態でも祖母と話をしたいのですが、今は思うようにできなくて悩んでいます。

（一年生・女子）

A 私の父も晩年、アルツハイマー型の認知症を患いました。私は何か父のためにできることはないかと思いましたが、実際にはあまりできることはありませんでした。やがて父は食事以外の時間はほとんど寝ているようになりました。「寝てばかりいるのなら、私がこなくてもいいね」とある日父にいったら、父は真顔で答えました。

「そんなことはない。私はお前がきているから安心して寝られるのだ」

時間があればおばあさまのところへ行ってあげてください。何もしなくても、何も話さなくてもただ一緒にいればいいのです。ただ、同じ時間を共有することに意味があります。

会うのを嫌がられるというのは、おそらく、かつての自分、いろいろなことができた自分から引き算して今のご自分を見ておられ、そんな姿を見られたくないという気持ちがあるのでしょう。「早くよくなってね」といったり、また「いつかよくなる」といったりすると、おばあさまは今の自分を受け入れられなくなります。「どんなおばあちゃんも大好き」といえたらいいですね。

自己中心性から脱却する

自立するための三つ目の条件は、「自己中心的な考えから脱却する」ということです。

そのためにはまず、「人間は一人で生きているわけではない」と知ることが大事です。誰もが多くの人の援助を得て今に至っているはずで、今まで一人で生きてきた人は誰もいないはずです。人は、誰も一人では生きられないのです。これは「生物的に人は一人では生きられない」という意味だけではなく、「人間は必ず他者からの援助を受けている」という意味で、他者との結びつきなしには生きられないということです。

自分が何かの共同体に所属していると感じられることは、人間の基本的な欲求です。ここにいてもいいと感じられることです。例えば、今日私はこうやって皆さんにお会いして話をしていますが、最初は私の話を受け入れてもらえるだろうかなどと心配でした。これが授業だったら話を聞きたくない、できたら試験勉強をしたいと思う人もいるかもしれないと気にし始めると切りがありません。でも、やがて話を聞いてもらっていると思えると、皆さんと私とで構成されている、一時的ではありますがこの共同体に自分の居場所があると感じられるようになります。

この学校に入学した時、最初はまわりを見ても知っている人はいなくて不安だった人もいるかもしれません。やがて少し話ができるようになり、気が合いそうな人が見つかると、このクラスにいてもいいかなと思えるようになります。

哲学人生問答 39

人間関係がなければ、自分の価値は見出せないものでしょうか。

Q 私は神道(しんとう)系の私立中学校に通っていました。その頃、神道科の先生に「人はどうやったら成長できるのか」とたずねたことがあります。その先生からは「人は生かされていることに気づいたら成長する」といわれました。

この先生の話は、岸見先生のお話と少し重なると思うのですが、岸見先生は、自分の価値は人間関係がなければ見出せないとお考えでしょうか。

（一年生・男子）

A　他者に貢献していると感じられる時に自分に価値があると思えるのですから、人間関係がなければ自分の価値を見出せないのです。誰とも関わらずに生きているように見える人はいますが、他者と関わらずに生きている人は誰もいません。

インドにある聖者がいました。彼は近くの村から三百メートルほど離れたところで、その村の人とは一切関わろうとせずに一人で暮らしていました。ある時、その村が大火事になって焼け落ちてしまいました。村人たちはその村を修復するよりは別のところに引っ越したほうがいいと判断し、別の場所に村を移しました。

それで、その聖者はどうしたかというと、彼もその村人たちについていったのだそうです。ただし、以前と同じように三百メートルほど離れたところに、また一人で住みました。

そういうことはあると思うのです。目に見える人間関係はなくても、他者とのつながりは必ずあることに気づけば、自分が他者から与えられていることに気づき、さらには自分が生きていることが他者に貢献していると感じられる人は、そういう自分に価値があると思えます。行為によってであれ、存在によってであれ、貢献するためには他者との関係が前提になりますから、自分の価値は他者との関係の中で見出すことができるのです。

共同体の一員だが中心にはいないと自覚する

ここにいてもいいのだと思えることが人間の基本的な欲求であるという話をしました。しかし、共同体の一員であると感じられるということと、その中心にいるということはまったく別のことです。共同体の一員であるだけでいいのに、その中心でなければならないと思う人は、皆が自分のことを注目してくれないと気が済まないのです。

このようになるのは子ども時代に経験したことが関係しています。第一子は弟や妹が生まれた時、いえ、その前に王座から転落したのです。それまでは親の愛情、注目、関心を一身に浴びていたのに、ある日、親から「あなたに弟（妹）ができるのよ」といわれます。それがどういうことかはわかるはずもありません。親は「あなたのことはこれまでと同じように愛するからね」というようなことをいうのですが、愛されない自分を想像することはできません。

実際に弟や妹が生まれたら何が起こるか。親の時間もエネルギーも、生まれたばかりの弟や妹に取られてしまいます。それまで自分にだけ向けられていた愛情や関心が下の子どもに移った時に、上の子どもは親の注目を引くためにいい子になろうとします。特別よくなろうとするのです。そうすることで親に気に入られようとするのです。

そこで、親の手伝いをします。ところが、弟や妹の面倒を見ていたら、泣かしてしまうことがあります。大人でも子どもの世話をするのは大変なので簡単なことではありません。すると親は「あなたが余計なことをするから」などといって叱ります。叱られた子どもは今度は一転して悪い子になります。

そういう形で親の注目や関心を引こうとするのですが、そもそも親の注目、関心を引こうとするのが問題です。このような人は大人になっても同じことをします。家族という共同体の中で自分が一番でないと気がすみませんし、学校やクラスという共同体の中でも、あらゆる意味で自分が一番でなければならないと考えます。一番になれなかったら、問題を起こして皆の注目を得ようとします。

自立するためには、共同体の中心でいようとしないことが必要です。自分は共同体の一員ですが、自分が共同体の中心にいるわけではないということを自覚することが大事なのです。それが自立するということの三つ目の条件です。

自分が共同体の中心にいないと自覚することは簡単なことではありません。自分はここにいるけれど誰からも気づかれないというのが現実です。

自分は他の人の期待を満たすために生きているわけではありません。そうであれば、他の人も自分の期待を満たすために生きているわけではありません。他の人の期待を満たすために生きる必要はありませんが、その権利は他の人にもあることを認めないといけません。

このことがわかればいろんなことが変わってきます。皆さんが自己中心性から脱却することができるかが、今後の課題になると私は思います。

哲学人生問答 40

友人が、他の人たちから陰口をいわれるのが腹立たしいです。

Q　私は自分勝手に生きているタイプで、いやなことはいやというほうです。一方、私の友人は優しく空気も読める人で、私もとても好きなのですが、自分の気持ちを抑えてしまうタイプでもあります。その分、まわりから八方美人といわれてしまい、一見皆に好かれているようでも陰ではいろいろいわれています。それが私にはとても腹立たしく、私が他の人ともめてしまいます。自分としてはその子の力になりたいのですが、どのようにしたらいいかわかりません。

（一年生・女子）

A 問題に対してどんなふうに取り組むか、その癖というかパターンを人はわりあい早い時期に決めます。アドラーはそれを「ライフスタイル」と呼んでいます。それは人によって違うので、あなたの友だちは何か問題に直面した時、あなたとは違った対応をし、対人関係の築き方もあなたとは違うかもしれません。だから、あなたは驚くことになるのですが、本人はあなたが想像するほど困っていないということもありえます。

どんな対人関係の築き方をしているかはその人の課題なので、原則的には立ち入れません。しかし、大切な友だちであれば何らかの形で力になりたいと思うのは当然です。ただし、共同の課題にする手続きをしなければなりません。交友関係について一度話をしたいといってみるのです。それに対して、自分の問題だから放っておいてほしいといわれたら、それ以上できることはありません。それでも、もしも、何か力になれることがあったら、その時はいってほしいといっておき、何もいってこられなかったら、何もできないのです。もしも友だちが相談してきたら、自分の考えであることをはっきりさせた上で助言することができます。「いいたいことがあれば、それをはっきりと伝えたほうがいいと思う」というふうにです。

いいたいことをいえるほうが、生き方としては楽です。いえない人は不自由な生き方をしています。八方美人という言い方が適切かどうかわからないのですが、人に嫌われないように生きている人は、自分の人生の方針を自分で決めることができません。ある人が「こうしたほうがいいのでは」といったら「そうかな」と思って、そちらのほうに行くのです。でも、別な人に「そうではなくてこっちのほうがいいだろう」といわれたらそっちのほうに行ってしまいます。そういう人生や生き方のイメージは危うく不安定なものです。

　とにかく自分で決めます。自分で決めた時に、それがうまくいくとは限りません。うまくいかなければ、もう一度決め直せばいいのです。

　その友だちから学べることもあります。他の人の言葉にも、もう少し耳を傾けてもいいということです。他の人がいっていることは、にわかに受け入れられないかもしれません。しかし、例えばあなたの生き方に対して、いいたいことをいうのはいいと思うが、度が過ぎていると複数の人にいわれたとしたら、その時はそのことについて一度考えてみる必要はあるでしょう。一朝一夕にその友だちのようにはなれませんし、なる必要もありませんが、今の自分の生き方の中でもしも困っていることがあれば、改善していく努力をしてもいいと思います。しかし、一夜にしてまったく違う人間には誰もなれないので、今の「この私」をよりよくする工夫をしていくほうが容易です。

その友だちと気が合うのであれば、あなたの生き方とその人がどんな生き方をしているかには関係がないということです。相手に合わせる必要はありませんが、その友だちの生き方から学べることもありますし、あなたの生き方からその友だちが学べることもあります。それが友だちというものです。

友だちだからといって、皆が同じ考えをしていなければならないというわけではありません。例えば、同性でも異性でもいいのですが、誰かと付き合う時、同じようなタイプの人と付き合いたい人は多いでしょう。同じようなタイプの人と付き合うと、自分と考え方が似通っているので安心です。相手の考え方が読めるからです。でも、まったくタイプの異なる人と付き合いますと、相手が本当に意表を突くような行動を取ることがあります。

どちらが対人関係として面白いかといえば、タイプが違う人と付き合うほうです。

あなたと友だちはタイプが違うということですから、あなたはその友だちから多くを学ばれているのかもしれません。そういう意味では、その友だちの生き方の中から自分を見直してもいいかもしれませんね。

その友だちのことを悪くいう人がいるとしても、それはあなたの課題ではありません。自分がいて、友だちがいて、さらにもう一人別の友だちがいるとします。友だちのことを悪くいう人がいたとしたら、それはその人とその友だちの関係の課題です。あなたが何かできるのは自分とその友だちとの関係であって、もしあなたがその友だちのことを悪くいう人と接点があるならば、その人に何かをいうことはできますが、友だちとその友だちのことを悪くいう人の関係はあなたには接点がありませんので、基本的に口を挟むことはできません。

できることとできないことにきっちりと線を引き、その上で、必要があれば共同の課題にして相手の生き方や考え方について自分の考えを伝えるなどして、付き合ってみてはいかがでしょうか。

哲学人生問答 41

友だちとはどういうものと考えればいいのですか。

Q 僕は友だちがどういうものなのか、よくわかりません。どう考えたらいいのでしょうか。

（一年生・男子）

A 私は、友だちは必ずしもいなければならないものとは思っていません。いなくてもいいと思っています。皆と仲良くする必要はありません。皆といつも一緒にいないといけないと思って一緒にいるというのは、友だち関係ではありません。一人でいられないということです。

ただ、人は一人で生きているわけではないということを繰り返し話してきましたが、自分が考えていることを包み隠さずにいえる人が一人でもいることは、自分の人生を豊かにするというのも本当です。親にも先生にもいえないことがあります。親や大人にいうと、すぐに説教をされますから。

しかし、友だちは自分の話を最後まで決して遮らずに聞いてくれます。あるいは、決して批判しません。そういう態度で接してくれる人がいるのといないのとでは、人生はずいぶん違います。

そういう友だちを是非見つけてください。そういう友だちは一人でいいのです。

導きの星

これまで話してきたように、私たちは幸福を目指して生きています。しかし、幸福であるための手段の選択を誤っているのではないかということを、絶えず吟味しなければなりません。

今の人生は仮の人生ではありません。今生きている人生が本番であって、リハーサルではありません。本当の人生を生きるための準備期間ではありません。皆さんがこの学校で学んでいるという人生を、今生きることしかできないのです。

『嫌われる勇気』の中で、哲人は他者貢献のことを「導きの星」という言葉で表しています。これは北極星のことで、その星を見失わなければ、旅人が道に迷うことはありません。

この導きの星は、前方ではなく真上にあります。他者貢献は、幸福を目指して生きていく時のターゲットであり、道しるべなのです。今こうして私たちが勉強していることが他者貢献であるということを、是非知っておいてほしいと思います。

人生には、「今ここ」しかありません。その「今ここ」で貢献できるのであり、未来に何かを達成して初めて貢献できるわけではありません。

人は今ここでしか生きられないのですから、まず未来はありません。未来は「未（いま）だ来（きた）らず」ではなく、端的にありません。だから、先のことを思って不安になることもありませんし、今は苦しくても我慢しようと思うのも意味がありません。

一方で、過去もありません。あの時もっと勉強していたら今いい成績が取れたのに、とか、目指す大学に行けたのではないかと思う人がいます。でも、過去のことを今悔やんでも仕方がありません。必要があれば、今できることをするしかないのです。

では何があるのか。「今ここ」です。

そう考えて、毎日を丁寧に生きていきましょう。

今日という日を、今日という日のために生きていく。これを繰り返していけば、気がつけばずいぶん遠くまできたことになるでしょう。

●この作品は二〇一九年十月に小社より単行本として刊行されたものです。

構成／品川裕香

|著者| 岸見一郎　1956年京都府生まれ。哲学者。京都大学大学院文学研究科博士課程満期退学（西洋哲学史専攻）。哲学と並行してアドラー心理学を研究。哲学と心理学の両面から、幸福な人生への独自のアプローチを提唱し、幅広い支持を得ている。

著書『不安の哲学』『怒る勇気』『叱らない、ほめない、命じない。』『絶望から希望へ』、共著『嫌われる勇気』『幸せになる勇気』（ともに古賀史健氏との共著）訳書『個人心理学講義』『人生の意味の心理学』（ともにアドラー）『ティマイオス／クリティアス』（プラトン）ほか多数。

哲学人生問答（てつがくじんせいもんどう）

岸見一郎（きしみいちろう）

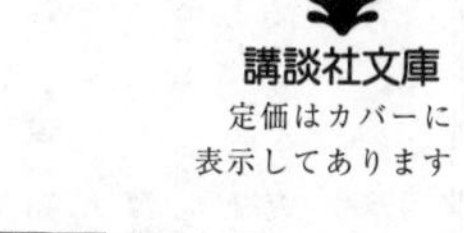

定価はカバーに
表示してあります

2022年4月15日第1刷発行

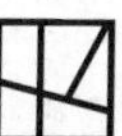

発行者――鈴木章一
発行所――株式会社　講談社
東京都文京区音羽2-12-21　〒112-8001
電話　出版（03）5395-3510
　　　販売（03）5395-5817
　　　業務（03）5395-3615

デザイン―菊地信義
本文データ制作―講談社デジタル製作
印刷―――株式会社KPSプロダクツ
製本―――株式会社国宝社

Printed in Japan

ISBN978-4-06-527618-1

講談社文庫刊行の辞

二十一世紀の到来を目睫に望みながら、われわれはいま、人類史上かつて例を見ない巨大な転換期をむかえようとしている。

世界も、日本も、激動の予兆に対する期待とおののきを内に蔵して、未知の時代に歩み入ろうとしている。このときにあたり、創業の人野間清治の「ナショナル・エデュケイター」への志を現代に甦らせようと意図して、われわれはここに古今の文芸作品はいうまでもなく、ひろく人文・社会・自然の諸科学から東西の名著を網羅する、新しい綜合文庫の発刊を決意した。

激動の転換期はまた断絶の時代である。われわれは戦後二十五年間の出版文化のありかたへの深い反省をこめて、この断絶の時代にあえて人間的な持続を求めようとする。いたずらに浮薄な商業主義のあだ花を追い求めることなく、長期にわたって良書に生命をあたえようとつとめるところにしか、今後の出版文化の真の繁栄はあり得ないと信じるからである。

同時にわれわれはこの綜合文庫の刊行を通じて、人文・社会・自然の諸科学が、結局人間の学にほかならないことを立証しようと願っている。かつて知識とは、「汝自身を知る」ことにつきていた。現代社会の瑣末な情報の氾濫のなかから、力強い知識の源泉を掘り起し、技術文明のただなかに、生きた人間の姿を復活させること。それこそわれわれの切なる希求である。

われわれは権威に盲従せず、俗流に媚びることなく、渾然一体となって日本の「草の根」をかたちづくる若く新しい世代の人々に、心をこめてこの新しい綜合文庫をおくり届けたい。それは知識の泉であるとともに感受性のふるさとであり、もっとも有機的に組織され、社会に開かれた万人のための大学をめざしている。大方の支援と協力を衷心より切望してやまない。

一九七一年七月

野間省一

大澤真幸
〈自由〉の条件
個人の自由な領域が拡大しているはずの現代社会で、閉塞感が高まるのはなぜか？他者の存在こそ〈自由〉の本来的な構成要因と説くことにより希望は見出される。

978-4-06-513750-5
おＺ１

大澤真幸
〈世界史〉の哲学１　古代篇
解説＝山本貴光

資本主義の根源を問う著者の破天荒な試みがついに文庫化開始！　本巻では〈世界史〉におけるミステリー中のミステリー＝キリストの殺害が中心的な主題となる。

978-4-06-527683-9
おＺ２

講談社文庫 目録

芥川龍之介 藪の中
有吉佐和子 新装版 和宮様御留
阿刀田 高 ナポレオン狂
阿刀田 高 新装版 ブラック・ジョーク大全
安房直子 春の窓〈安房直子ファンタジー〉
相沢忠洋 「岩宿」の発見〈幻の旧石器を求めて〉
赤川次郎 偶像崇拝殺人事件
赤川次郎 人間消失殺人事件
赤川次郎 三姉妹探偵団
赤川次郎 三姉妹探偵団2〈キャンパス篇〉
赤川次郎 三姉妹探偵団3〈珠美・初恋篇〉
赤川次郎 三姉妹探偵団4〈怪奇篇〉
赤川次郎 三姉妹探偵団5〈復讐篇〉
赤川次郎 三姉妹探偵団6〈危機一髪篇〉
赤川次郎 三姉妹探偵団7〈駈け落ち篇〉
赤川次郎 三姉妹探偵団8〈人質篇〉
赤川次郎 三姉妹探偵団9〈青ひげ篇〉
赤川次郎 三姉妹探偵団10〈父恋し篇〉
赤川次郎 死が小径をやってくる〈三姉妹探偵団11〉
赤川次郎 死神のお気に入り〈三姉妹探偵団12〉
赤川次郎 次女と野獣〈三姉妹探偵団13〉
赤川次郎 心地よい悪夢〈三姉妹探偵団14〉
赤川次郎 ふるえて眠れ、三姉妹〈三姉妹探偵団15〉
赤川次郎 三姉妹、呪いの道行〈三姉妹探偵団16〉
赤川次郎 三姉妹、初めてのおつかい〈三姉妹探偵団17〉
赤川次郎 恋の花咲く三姉妹〈三姉妹探偵団18〉
赤川次郎 月もおぼろに三姉妹〈三姉妹探偵団19〉
赤川次郎 三姉妹、ふしぎな旅日記〈三姉妹探偵団20〉
赤川次郎 三姉妹、清く貧しく美しく〈三姉妹探偵団21〉
赤川次郎 三姉妹と忘れじの面影〈三姉妹探偵団22〉
赤川次郎 三姉妹、舞踏会への招待〈三姉妹探偵団23〉
赤川次郎 三人姉妹殺人事件〈三姉妹探偵団24〉
赤川次郎 三姉妹、さびしい入江の歌〈三姉妹探偵団25〉
赤川次郎 静かな町の夕暮に
赤川次郎 キネマの天使〈レンズの奥の殺人者〉
新井素子 グリーン・レクイエム〈新装版〉
安能務 訳 封神演義 全三冊
安西水丸 東京美女散歩
綾辻行人 殺人方程式〈切断された死体の問題〉
綾辻行人 鳴風荘事件 殺人方程式II
綾辻行人 十角館の殺人〈新装改訂版〉
綾辻行人 水車館の殺人〈新装改訂版〉
綾辻行人 迷路館の殺人〈新装改訂版〉
綾辻行人 人形館の殺人〈新装改訂版〉
綾辻行人 時計館の殺人〈新装改訂版〉
綾辻行人 黒猫館の殺人〈新装改訂版〉
綾辻行人 暗黒館の殺人 全四冊
綾辻行人 びっくり館の殺人
綾辻行人 奇面館の殺人(上)(下)
綾辻行人 どんどん橋、落ちた〈新装改訂版〉
綾辻行人 緋色の囁き〈新装改訂版〉
綾辻行人 暗闇の囁き〈新装改訂版〉
綾辻行人 黄昏の囁き〈新装改訂版〉
綾辻行人ほか 7人の名探偵
我孫子武丸 探偵映画
我孫子武丸 新装版 8の殺人
我孫子武丸 眠り姫とバンパイア

講談社文庫　目録

講談社文庫 目録

麻見和史　偽神の審判〈警視庁公安分析班〉
有川　浩　三匹のおっさん
有川　浩　三匹のおっさん ふたたび
有川　浩　ヒア・カムズ・ザ・サン
有川　浩　旅猫リポート
有川ひろ　アンマーとぼくら
有川ひろほか　ニャンニャンにゃんそろじー
荒崎一海　門前仲町〈九頭竜覚山 浮世綴(一)〉
荒崎一海　蓬莱橋雨景〈九頭竜覚山 浮世綴(二)〉
荒崎一海　寺町哀感〈九頭竜覚山 浮世綴(三)〉
荒崎一海　小名木川〈九頭竜覚山 浮世綴(四)〉
荒崎一海　一色町雪花〈九頭竜覚山 浮世綴(五)〉
朱野帰子　駅物語
朱野帰子　対岸の家事
東　浩紀　一般意志2・0〈ルソー、フロイト、グーグル〉
朝倉宏景　白球アフロ
朝倉宏景　野球部ひとり
朝倉宏景　つよく結べ、ポニーテール
朝倉宏景　あめつちのうた

朝井リョウ　スペードの3
朝井リョウ　世にも奇妙な君物語
有沢ゆう希 末次由紀 原作　〈小説〉ちはやふる 上の句
有沢ゆう希 末次由紀 原作　〈小説〉ちはやふる 下の句
有沢ゆう希 末次由紀 原作　〈小説〉ちはやふる 結び
有沢ゆう希　小説 パーフェクトワールド〈君といる奇跡〉
有沢ゆう希 原作：金田一蓮十郎 脚本：徳永友一　小説 ライアー×ライアー
秋川滝美　幸腹な百貨店
秋川滝美　幸腹な百貨店〈デパ地下おにぎり騒動〉
秋川滝美　幸腹な百貨店〈催事場で蕎麦屋呑み〉
秋川滝美　マチのお気楽料理教室
赤神　諒　神遊の城
赤神　諒　大友二階崩れ
赤神　諒　大友落月記
赤神　諒　酔象の流儀 朝倉盛衰記
赤神　諒　空貝〈村上水軍の神姫〉
彩瀬まる　やがて海へと届く
浅生　鴨　伴走者
天野純希　有楽斎の戦

天野純希　雑賀のいくさ姫
青木祐子　コーチ！〈はげまし屋・立花ことりのクライアントファイル〉
秋保水菓　コンビニなしでは生きられない
相沢沙呼　medium 霊媒探偵城塚翡翠
新井見枝香　本屋の新井
碧野　圭　凛として弓を引く
五木寛之　ソフィアの秋
五木寛之　狼のブルース
五木寛之　海峡物語
五木寛之　風花のひと
五木寛之　鳥の歌(上)(下)
五木寛之　燃える秋
五木寛之　真夜中の望遠鏡〈流されゆく日々'78〉
五木寛之　ナホトカ青春航路〈流されゆく日々'79〉
五木寛之　旅の幻燈
五木寛之　他力
五木寛之　こころの天気図
五木寛之　新装版 恋歌
五木寛之　百寺巡礼 第一巻 奈良

講談社文庫　目録

五木寛之　百寺巡礼　第二巻　北陸
五木寛之　百寺巡礼　第三巻　京都Ⅰ
五木寛之　百寺巡礼　第四巻　滋賀・東海
五木寛之　百寺巡礼　第五巻　関東・信州
五木寛之　百寺巡礼　第六巻　関西
五木寛之　百寺巡礼　第七巻　東北
五木寛之　百寺巡礼　第八巻　山陰・山陽
五木寛之　百寺巡礼　第九巻　京都Ⅱ
五木寛之　百寺巡礼　第十巻　四国・九州
五木寛之　海外版　百寺巡礼　インド1
五木寛之　海外版　百寺巡礼　インド2
五木寛之　海外版　百寺巡礼　朝鮮半島
五木寛之　海外版　百寺巡礼　中　国
五木寛之　海外版　百寺巡礼　ブータン
五木寛之　海外版　百寺巡礼　日本・アメリカ
五木寛之　青春の門　第七部　挑戦篇
五木寛之　青春の門　第八部　風雲篇
五木寛之　青春の門　第九部　漂流篇
五木寛之　親鸞　青春篇　(上)(下)

五木寛之　親鸞　激動篇　(上)(下)
五木寛之　親鸞　完結篇　(上)(下)
五木寛之　五木寛之の金沢さんぽ
五木寛之　海を見ていたジョニー　新装版
井上ひさし　モッキンポット師の後始末
井上ひさし　ナ　イ　ン
井上ひさし　四千万歩の男　全五冊
井上ひさし　四千万歩の男　忠敬の生き方
井上ひさし
司馬遼太郎　新装版　国家・宗教・日本人
池波正太郎　私　の　歳　月
池波正太郎　よい匂いのする一夜
池波正太郎　梅安料理ごよみ
池波正太郎　わが家の夕めし
池波正太郎　新装版　緑のオリンピア
池波正太郎　新装版　殺しの四人　〈仕掛人　藤枝梅安(一)〉
池波正太郎　新装版　梅安蟻地獄　〈仕掛人　藤枝梅安(二)〉
池波正太郎　新装版　梅安最合傘　〈仕掛人　藤枝梅安(三)〉
池波正太郎　新装版　梅安針供養　〈仕掛人　藤枝梅安(四)〉
池波正太郎　新装版　梅安乱れ雲　〈仕掛人　藤枝梅安(五)〉

池波正太郎　新装版　梅安影法師　〈仕掛人　藤枝梅安(六)〉
池波正太郎　新装版　梅安冬時雨　〈仕掛人　藤枝梅安(七)〉
池波正太郎　新装版　忍びの女　(上)(下)
池波正太郎　新装版　殺　し　の　掟
池波正太郎　新装版　抜討ち半九郎
池波正太郎　新装版　娼　婦　の　眼
池波正太郎　近藤勇白書　(上)(下)　〈レジェンド歴史時代小説〉
井上　靖　楊　貴　妃　伝
石牟礼道子　新装版　苦海浄土　〈わが水俣病〉
いわさきちひろ　ちひろのことば
いわさきちひろ
松本　猛　いわさきちひろの絵と心
いわさきちひろ
絵本美術館編　ちひろ・子どもの情景　〈文庫ギャラリー〉
いわさきちひろ
絵本美術館編　ちひろ・紫のメッセージ　〈文庫ギャラリー〉
いわさきちひろ
絵本美術館編　ちひろの花ことば　〈文庫ギャラリー〉
いわさきちひろ
絵本美術館編　ちひろのアンデルセン　〈文庫ギャラリー〉
いわさきちひろ
絵本美術館編　ちひろ・平和への願い　〈文庫ギャラリー〉
石野径一郎　新装版　ひめゆりの塔
今西錦司　生　物　の　世　界
井沢元彦　義　経　幻　殺　録

講談社文庫 目録

稲葉 稔 椋鳥の影〈八丁堀手控え帖〉
伊坂幸太郎 チルドレン
伊坂幸太郎 魔王
伊坂幸太郎 モダンタイムス(上)(下)
伊坂幸太郎 PK
伊坂幸太郎 サブマリン
絲山秋子 袋小路の男
石黒 耀 死都日本
石黒 耀 忠臣蔵異聞〈家老 大野九郎兵衛の長い仇討ち〉
犬飼六岐 筋違い半介
犬飼六岐 吉岡清三郎貸腕帳
石川大我 ボクの彼氏はどこにいる?
石松宏章 マジでガチなボランティア
伊東 潤 国を蹴った男
伊東 潤 峠越え
伊東 潤 黎明に起つ
伊東 潤 池田屋乱刃
石飛幸三 「平穏死」のすすめ〈口から食べられなくなったらどうしますか〉
伊藤理佐 女のはしょり道
伊藤理佐 また! 女のはしょり道
伊藤理佐 みたび! 女のはしょり道
石黒正数 外天楼
伊与原 新 ルカの方舟
伊与原 新 コンタミ 科学汚染
稲葉圭昭 恥さらし〈北海道警 悪徳刑事の告白〉
稲葉博一 忍者烈伝
稲葉博一 忍者烈伝ノ続
稲葉博一 忍者烈伝ノ乱〈天之巻〉〈地之巻〉
伊岡 瞬 桜の花が散る前に
石川智健 エウレカの確率〈経済学捜査と殺人の効用〉
石川智健 60〈誤判対策室〉
石川智健 20〈誤判対策室〉
石川智健 第三者隠蔽機関
石川智健 いたずらにモテる刑事の捜査報告書
井上真偽 その可能性はすでに考えた
井上真偽 聖女の毒杯〈その可能性はすでに考えた〉
井上真偽 恋と禁忌の述語論理
泉 ゆたか お師匠さま、整いました!
伊兼源太郎 地検のS
伊兼源太郎 巨悪
逸木 裕 電気じかけのクジラは歌う
今村翔吾 イクサガミ 天
入月英一 信長と征く 1・2〈転生商人の天下取り〉
内田康夫 シーラカンス殺人事件
内田康夫 パソコン探偵の名推理
内田康夫 「横山大観」殺人事件
内田康夫 江田島殺人事件
内田康夫 琵琶湖周航殺人歌
内田康夫 夏泊殺人岬
内田康夫 「信濃の国」殺人事件
内田康夫 風葬の城
内田康夫 透明な遺書
内田康夫 鞆の浦殺人事件
内田康夫 終幕のない殺人
内田康夫 御堂筋殺人事件
内田康夫 記憶の中の殺人
内田康夫 北国街道殺人事件

2022年3月15日現在